LAZARILLO DE TORMES
ANÓNIMO

Olivia Lim
P116
Seibert

Colección
LEER EN ESPAÑOL

D1366520

español
Santillana
Universidad de Salamanca

La adaptación de la obra *Lazarillo de Tormes*,
para el Nivel 3 de la colección LEER EN ESPAÑOL,
es una obra colectiva, concebida,
creada y diseñada por el Departamento de Idiomas
de la Editorial Santillana, S.A.

Adaptación: **Victoria Ortiz González**

Ilustración de la portada: **Lorenzo Rodríguez Gómez**
Ilustraciones interiores: **Domingo Benito**

Coordinación editorial: **Silvia Courtier**

Dirección editorial: **Pilar Peña**

© de esta edición,
  1994 by Universidad de Salamanca
        Grupo Santillana de Ediciones S.A.
Torrelaguna, 60. 28043 Madrid
PRINTED IN SPAIN
Impreso en España por UNIGRAF
Avda. Cámara de la Industria, 38
Móstoles, Madrid
ISBN: 84-9713-018-9
Depósito Legal: M-46.693-2006

En 1554 se publicó La vida de Lazarillo de Tormes, y de sus fortunas y adversidades, *de autor anónimo. Este libro no sólo tuvo mucho éxito, sino que significó el nacimiento de un nuevo género literario: la novela picaresca.*

Hasta entonces dominaba en España el idealismo de las novelas sentimentales, pastoriles y de caballerías; sus temas y personajes estaban situados muy lejos de la realidad española de la época. Por el contrario, la acción del Lazarillo de Tormes *y de las novelas picarescas que le siguieron se desarrolla en un espacio y un tiempo conocido por los lectores contemporáneos: en esa España que vivía momentos de gloria y de poder pero también, y a pesar de las conquistas en América, de crisis interior económica y social.*

Las novelas picarescas se presentan como relatos autobiográficos, escritos en primera persona. Su protagonista es el «pícaro», de quien el género toma su nombre y que, al igual que un don Quijote o un don Juan, constituye hoy un tipo humano universal. Es un personaje procedente de las clases bajas de la sociedad, sin oficio determinado, criado de muchos amos, que sobrevive utilizando su ingenio e imaginación.

La vida de Lazarillo de Tormes, y de sus fortunas y adversidades *es una denuncia del hambre que existía entre la gente del campo y del pueblo, y una crítica de las clases privilegiadas, de la Iglesia en particular. Pero a pesar de la negra situación que describe, por su estilo vivo y natural, tan lleno de humor, es una novela alegre y divertida.*

LAS FORMAS DE TRATAMIENTO
EN *LAZARILLO DE TORMES*

En el siglo XVI el empleo de ciertos usos de respeto y cortesía es de gran importancia. Las formas de tratamiento reflejan fielmente la distancia existente entre las clases sociales y los distintos grados de familiaridad.

Así, en *La vida de Lazarillo de Tormes, y de sus fortunas y adversidades* se encuentran tres fórmulas que corresponden a distintos niveles de relaciones entre las personas. De mayor a menor respeto por parte del hablante hacia la persona con la que habla, estas fórmulas son las siguientes:

1. **Vuestra Merced** y el verbo en tercera persona del singular (plural: **Vuestras Mercedes** y el verbo en tercera persona del plural).

   Ejemplo:

   > *Pido a **Vuestra Merced** que reciba este pequeño libro que no he sabido ni podido escribir mejor.*
   >
   > (en vez de *Le pido a **usted** que reciba este pequeño libro que no he sabido ni podido escribir mejor*).

   Es el tratamiento que se emplea para las personas que merecen el máximo respeto y también es la fórmula usual en las cartas.

   Esta forma evolucionó hasta dar **usted.**

   1.º Lázaro usa esta forma para dirigirse al destinatario del relato, por ser ésta una persona perteneciente a una alta clase social, y por tratarse de un relato escrito.

   2.º También la usa con el escudero, noble muy orgulloso de su condición.

2. El pronombre **vos** y el verbo en segunda persona del plural (con todos los determinantes y pronombres correspondientes a la segunda persona del plural también).

   Ejemplo:

   > *Está bien, pero no **olvidéis** que Lázaro es hijo de un buen hombre que murió peleando contra los moros.*
   >
   > (en vez de *Está bien, pero no **olvide** que Lázaro es hijo de un buen hombre que murió peleando contra los moros*).

Ejemplo:

> *¡Dad **vos** un gran salto!*
> (en vez de *¡Dé **usted** un gran salto!*).

Ejemplo:

> *No diréis, tío, que **os** lo bebo yo, pues no quitáis la mano del jarro.*
> (en vez de *No diga, tío, que **se** lo bebo yo pues no quita la mano del jarro*).

Ejemplo:

> *Señor, si él era lo que decís y era más importante que vos, ¿no habéis hecho mal en no saludar a **vuestro** vecino primero?*
> (en vez de *Señor, si él era lo que dice y era más importante que usted, ¿no ha hecho mal en no saludar a **su** vecino primero?*).

Esta fórmula era antes la marca de mayor cortesía para dirigirse a una persona, pero en el siglo XVI está ya, como tal, desplazada por **Vuestra Merced**. Por ello el escudero se enfada cuando un criado le trata de **vos**. (Ver tratado tercero.) Sin embargo, conserva parte de su valor original de respeto. Tiene un valor aproximado al actual **usted**.

Se usa **vos**:

1.º para dirigirse a Dios (aunque a veces se usa **tú**);

2.º para dirigirse a una persona con cierta cortesía, pero sin llegar al máximo respeto: Lázaro trata de **vos** a todos sus amos, hasta al escudero cuando se olvida de que éste prefiere **Vuestra Merced**;

3.º entre personas de igual categoría social y dentro de un ambiente cortés.

3. El pronombre **tú** y la segunda persona del singular.

Es el tratamiento correspondiente a las situaciones de mayor familiaridad.

Se usa **tú**:

1.º para dirigirse a un inferior;

2.º para dirigirse a los niños y por eso en los primeros tratados todo el mundo habla a Lazarillo de **tú**;

3.º entre iguales de baja condición o en situación de mucha familiaridad o confianza.

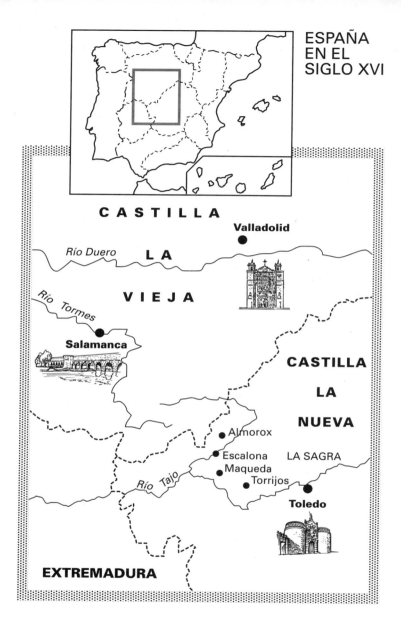

ESPAÑA
EN EL
SIGLO XVI

CASTILLA

Valladolid

Río Duero LA

VIEJA

Río Tormes

Salamanca

CASTILLA

LA

NUEVA

Almorox

Escalona LA SAGRA

Maqueda

Río Tajo Torrijos

Toledo

EXTREMADURA

PRÓLOGO

ME parece a mí que cosas tan importantes, y que no se habían nunca oído ni visto antes, deben ser conocidas por muchos y no quedar olvidadas. Porque, en la lectura de ellas, alguien puede encontrar algo agradable; y otros, si las leen más por encima, pueden divertirse. Es que todos los libros, los malos también, siempre tienen alguna cosa buena. Sobre todo si pensamos que a todos no nos gusta lo mismo; y lo que uno no come, le encanta a otro. Y así vemos cosas que para algunos son malas y para otros no lo son. Por eso, nada se debería romper ni esconder, sino enseñar a todos; sobre todo cuando no hace ningún daño y alguien puede sacar algo bueno de ello. La gente escribe libros por esta razón. Nadie escribe para sí solo, pues[1] es un trabajo duro; y el hombre que lo hace quiere recibir algo por él: no pide que le paguen con dinero; pero quiere que la gente vea y lea sus libros; y, si hay motivo, que le digan qué maravillosos son éstos.

Y son así las cosas: sabiendo que yo no soy mejor que mis vecinos, digo que no me importará si leen este librito, escrito en mi bajo estilo[2]; y no me molestará si se divierten con él, viendo cómo vive un hombre con tantas dificultades y peligros.

Pido a Vuestra Merced[3] que reciba este pequeño libro que no he sabido ni podido escribir mejor. Y pues Vuestra Merced quiere que le cuente el asunto con todo detalle, preferí no empezar por el medio, sino por el principio. Así me conocerá bien. Y de esta manera, también, aquellos hombres que nacieron ricos verán qué poco les debemos, pues la buena suerte ya les ha dado todo. Mucho más hicieron los que consiguieron algo en la vida sin ayuda de la suerte, siendo fuertes y usando su inteligencia.

Tratado[4] Primero

LÁZARO CUENTA SU VIDA
Y DE QUIÉN FUE HIJO

VUESTRA Merced debe saber primero que todos me llaman Lázaro de Tormes, hijo de Tomé González y de Antona Pérez, de Tejares, pueblo de Salamanca. Mi nacimiento[5] fue dentro del río Tormes y por esta razón tomé mi apellido. Mi padre trabajaba en el molino de agua[6] que había en aquel río, desde hacía más de quince años. Y ocurrió que allí le llegó a mi madre una noche la hora de traerme al mundo, y nací[5] yo. De manera que con verdad me puedo decir nacido en el río.

Era yo un niño de ocho años cuando algunas personas dijeron que mi padre era un ladrón; dijeron que robaba en el molino; él, que Dios le* perdone, no pudo decir lo contrario, y por ello le llevaron a la cárcel; después, salió para otras tierras, donde murió peleando contra los moros[7].

---

* Se ha respetado el **leísmo** del autor. Este fenómeno consiste en el uso de *le* (pronombre complemento indirecto) en vez de *lo* (pronombre complemento directo) para referirse a un objeto directo de persona. Este empleo, que aparece en la literatura desde la Edad Media, se produce en Castilla y León. Ha llegado hasta nuestros días y está admitido por la Real Academia de la Lengua.

Mi pobre madre, cuando se vio sin marido y sin dinero, decidió irse a vivir a la ciudad. Alquiló una casita y pronto empezó a trabajar para algunos estudiantes, haciéndoles la comida; y también lavaba la ropa a unos criados[8] del Comendador de la Magdalena[9].

Un día, ella y un hombre moreno[10] de los que se ocupaban de los caballos, se conocieron. Éste, algunas veces venía a nuestra casa y se iba a la mañana siguiente. Otras veces de día llegaba a la puerta, diciendo que quería comprar huevos; y entraba en casa. Yo, al principio, sentía miedo, viendo su negro color y la cara fea que tenía. Pero cuando me di cuenta de que con su llegada comíamos mejor, empecé a quererle bien; porque siempre traía pan, pedazos de carne y, en invierno, madera para el fuego.

Así que, como seguían estas costumbres, un día mi madre me dio un negrito, muy bonito; me puse muy contento con el hermano, que cogía en brazos para divertirme con él y que ayudaba a meter en la cama.

Y me acuerdo de que, un día que el negro estaba jugando con el niño, como éste nos veía a mi madre y a mí blancos y a él no, empezó a llorar de miedo. Yo sólo era un muchacho pero, cuando vi aquello, me dije: «¡Cuántos hombres puede haber en el mundo que tienen miedo de otros porque no se ven a sí mismos!»

Pero pronto acabó nuestra buena suerte, porque un día alguien fue a contar los asuntos de Zaide (así se llamaba el moreno) a casa del Comendador. Dijo que el negro robaba la mitad de la comida de los animales y también la madera y la ropa de los caballos; y que se lo daba todo a mi madre para ayudarla con mi hermanito. Y sí robaba, pero esto no nos debe parecer extraño en un hombre sencillo, que lo hacía por amor; porque los clérigos[11] también roban, a los pobres, para sí mismos y para sus mujeres e hijos.

Unos hombres de casa del Comendador vinieron a la nuestra y me hicieron preguntas a mí, dándome miedo; y como niño asustado respondí y dije todo lo que sabía. Le dieron no sé cuántos golpes al pobre Zaide y le encerraron; y a mi madre le prohibieron tanto visitarle como recibirle en nuestra casa.

Mi madre sintió mucha pena, pero no intentó verle más. Y para quitarse de peligros mayores se fue a servir[12] a los que entonces vivían en el mesón[13] de La Solana. Y allí, peleando con mil problemas, mi hermanito y yo nos hicimos mayores; hasta que él aprendió a andar, y hasta que yo fui un buen mozo[14], que iba a comprar el vino y otras muchas cosas para la gente del mesón.

En este tiempo un ciego[15] tomó una habitación en el mesón. Y éste, pensando que yo podía guiarle[16] bien por los caminos, fue a hablar con mi madre.

—Está bien —dijo ella—, pero no olvidéis[17] que Lázaro es hijo de un buen hombre que murió peleando contra los moros. Sólo le pido a Dios que este muchacho no sea peor hombre que su padre. Por favor, sed bueno con él, pues está solo en el mundo.

El ciego respondió que eso pensaba hacer, y que me recibía, no como criado sino como hijo. Y así empecé a servir y a guiar a mi nuevo y viejo amo[18].

Estuvimos en Salamanca algunos días; pero, como le pareció a mi amo que no ganábamos bastante, decidió marcharse de allí.

Cuando llegó la hora de salir, fui a ver a mi madre y, llorando como yo, ella me dijo:

—Hijo, ya sé que no te veré más. Intenta ser bueno, y que Dios te guíe. Te dejo con un buen amo y ya eres casi un hombre: ahora tienes que ayudarte tú solo.

Y me fui entonces hacia mi amo, que estaba esperándome.

Salimos de Salamanca y cuando llegamos al puente que tiene en su entrada un animal de piedra, parecido a un toro, el ciego me dijo:

—Lázaro, acércate a este toro y escucharás un gran ruido dentro de él.

Yo así lo hice, creyendo que decía la verdad. Pero en cuanto el viejo sintió que yo tenía la cabeza ya puesta muy cerca de la piedra, con su mano me empujó contra el toro; y me dio un golpe tan fuerte que la cabeza me dolió más de tres días. Y me dijo:

—¡Idiota!, aprende que el mozo del ciego tiene que saber todavía más que el diablo[19].

Y rió mucho la burla[20].

Me pareció que en aquel momento yo despertaba de la simpleza[21] en que, como niño, estaba dormido. Dije para mí: «Éste tiene razón. Desde ahora debo abrir más el ojo y tener cuidado. Y, pues estoy solo, debo ver y pensar cómo defenderme[22] en la vida sin ayuda de nadie.»

Empezamos nuestro camino y en muy pocos días mi amo me enseñó la lengua que usan los ciegos para entenderse y las costumbres de su trabajo. Y como se daba cuenta de que yo aprendía fácilmente, muy contento me decía:

—Lázaro, yo no te puedo dar ni oro ni joyas; pero consejos para vivir, recibirás muchos.

Y así fue: después de Dios, este hombre me dio la vida; y él, que era ciego, me enseñó y me guió en el camino de vivir.

Le cuento a Vuestra Merced estas cosas de niño para hacerle ver cuánta imaginación tienen los hombres pobres y de baja clase social que consiguen ser alguien importante en la vida; y qué tontos son los hombres ricos y de alto nacimiento que lo pierden todo por sus malas costumbres.

Y volviendo a la historia de mi amo y contando sus cosas, sepa Vuestra Merced que, desde que Dios hizo el mundo, no ha habido persona más lista. En su trabajo era el mejor. Sabía de memoria más de cien oraciones[23]. Las decía en la iglesia en voz baja y suave, como rezando[23] de verdad; tranquilo y con cara seria, sin hacer cosas raras con los ojos o la boca como otros ciegos.

Además de esto, tenía otras mil maneras de sacar el dinero a la gente. Decía saber oraciones para todo: para mujeres que no podían tener hijos; para mujeres que iban a tenerlos pronto; para mujeres mal casadas que pedían ser más queridas por sus maridos. Y también adivinaba si el hijo que las futuras madres esperaban era niño o niña. En asuntos de medicina, el viejo decía que Galeno, el mejor médico de Grecia, no supo nunca la mitad que él para dolores de muelas y toda clase de enfermedades. Tenía solución para todas. Así, todo el mundo iba a preguntarle, especialmente las mujeres, que creían todas las cosas que les decía. Y de éstas mi amo sacaba más dinero en un mes que cien ciegos en un año.

Pero también quiero que Vuestra Merced sepa que, con todo el dinero que ganaba y tenía, no vi nunca hombre tan mezquino[24]; tanto, que a mí me mataba de hambre y no me daba la mitad de lo necesario para vivir. Digo la verdad: si no me he muerto muchas veces, sólo ha sido por saber usar mi inteligencia e imaginación; pero, por suerte, yo le engañaba[25] de tal manera que siempre, o casi siempre, conseguía para mí lo mejor. Para esto, le hacía burlas horribles; contaré algunas de ellas, también las que no tuvieron tan buen resultado para mí.

El ciego guardaba el pan y todas las otras cosas en un viejo saco[26] que por la parte de arriba se cerraba con llave. A la hora de sacar o meter todas las cosas, mi amo tenía tanto cuidado que era imposible quitarle una sola miga[27] de pan. Yo tomaba las pocas cosas que me daba y en menos de dos segundos me las comía. Después, él cerraba el saco con llave y, pensando que yo estaba ocupado en otros asuntos, se olvidaba de tener cuidado. Y entonces yo hacía un agujero[28] por un lado del saco, que después volvía a coser[29], y sacaba de allí no sólo trozos de pan, sino buenos pedazos de carne y longaniza[30]. Y así buscaba la manera de salir de aquella mala vida en que el ciego me tenía.

Éste tenía la costumbre de dejar a su lado un jarrillo[31] de vino cuando comíamos. Yo lo cogía rápido y le daba un par de besos callados y enseguida lo volvía a dejar en su lugar. Pero esto me duró bien poco. Pronto mi amo se dio cuenta, y para defender su vino de mí, empezó a poner el jarrillo más cerca de él todavía y siempre tenía una mano encima. Él no sabía que, para estas ocasiones, yo me había preparado una paja[32] larga; y que, metiéndola en la boca del jarro, bebía todo el vino que quería. Pero como el ciego era tan listo, me oyó y, desde entonces cambió de costumbre, colocándose el jarrillo entre las piernas. Y así el viejo bebía seguro.

Yo, como desde niño había bebido vino, me moría de ganas por él. Viendo que la burla de la paja ya no me servía, probé otra cosa. Hice un agujerito en el fondo del jarro y después, con un trocito de cera[33], lo cerré con mucho cuidado. En el momento de comer, le decía al ciego que tenía frío y me sentaba entre sus piernas para calentarme con nuestro pobre fuego. Y como al calor, y por ser muy poca, la cera desaparecía lentamente, el vino empezaba a caer desde el agujerito hasta mi boca. Cuando el ciego iba a beber, no encontraba nada.

Se enfadaba, protestaba, mandaba al diablo el jarro y el vino; y no entendía cómo aquello podía ser.

—No diréis, tío[34], que os[35] lo bebo yo —le decía—, pues no quitáis la mano del jarro.

Tantas vueltas dio al jarro, que por fin encontró el agujero y se dio cuenta de la burla; pero no dijo nada.

Al día siguiente, sin pensar en el daño que me esperaba ni que el mal ciego lo sabía todo, me senté como siempre, entre sus piernas; estaba yo así recibiendo aquel dulce vino, con la cara puesta hacia el cielo y los ojos un poco cerrados, cuando mi mezquino amo creyó que había llegado el momento de reír él también. Y entonces, levantando con las dos manos aquel dulce y amargo jarro, desde lo más alto que pudo, lo dejó caer fuertemente sobre mi boca. De manera que a mí, Lázaro, que no esperaba nada de esto, me pareció que el cielo, con todo lo que en él hay, se me había caído encima.

Tan grande fue el golpe que caí al suelo como muerto y los pedazos del jarro se me metieron por la cara, rompiéndomela por muchas partes. Desde aquella hora quise mal al mal ciego, que decía quererme, pero que se había divertido mucho con la burla. Me lavó con vino las heridas que me había hecho con los pedazos del jarrillo y, sonriendo, me decía:

—¿Qué te parece, Lázaro? Lo que antes te hizo daño ahora te cura[36] y da salud.

Y otras cositas graciosas que a mí no me lo parecían.

Después de algunos días empecé a encontrarme mejor, pero no podía fácilmente olvidar mis males: desde entonces el ciego me gritaba todo el día, dándome golpes y más golpes sin razón alguna. Y si alguien le preguntaba por qué era tan duro conmigo, enseguida contaba la historia del jarro. Decía:

—¿Pensáis que este mozo es bueno? Entonces, oíd.

Y los que le oían decían:

—¡Tan pequeño y tan malo! Sí, tenéis razón, el muchacho es como el diablo. No podéis ser blando con él.

Y él, como oía aquello, no lo era nunca.

Yo le llevaba por los peores caminos que encontraba, para hacerle daño: si había piedras, por las piedras; si había agua, por lo más profundo. Yo pasaba por los mismos sitios y también me podía caer yo, pero las ganas de verle caer a él eran más fuertes que todo. Él lo sabía, pues era muy listo.

Y Vuestra Merced verá hasta dónde alcanzaba la inteligencia del viejo. Para ello le contaré uno de los muchos casos que me ocurrieron con él. Cuando salimos de Salamanca, el ciego quiso ir a tierras de Toledo, porque allí la gente era más rica. Y así seguimos ese camino por los mejores lugares. Si ganábamos un buen dinero, nos quedábamos; si no, al tercer día nos marchábamos.

Ocurrió que, llegando a un lugar llamado Almorox, en el tiempo de recoger las uvas[37], uno de los hombres le dio un racimo[37] al ciego. Para tenerme contento, pues me había dado muchos golpes aquel día, y también porque no se podía guardar las uvas en el saco por estar demasiado blandas, mi amo me invitó a comerlas. Nos sentamos debajo de un árbol y me dijo:

—Lázaro, escucha, ahora quiero ser bueno contigo. Vamos a comer este racimo juntos y tú comerás tanto como yo. Mira, lo haremos de esta manera: tú coges una uva y yo otra, yo una y tú otra. Pero tienes que prometerme que no tomarás más de una uva cada vez. Yo haré lo mismo y así no habrá engaño[25].

Y empezamos a comer, pero enseguida el ciego cogió las uvas de dos en dos, pensando que yo hacía lo mismo. Cuando vi que él cambiaba de idea, cambié yo también, pero más deprisa: de dos en dos y de tres en tres, y como podía las comía. Pronto terminamos el racimo; entonces el ciego estuvo un poco con él en la mano y, moviendo la cabeza, me dijo:

—Lázaro, me has engañado. Sé que tú has comido las uvas de tres en tres.

—No es cierto —contesté yo—. Pero, ¿por qué pensáis eso?

–¿Sabes en qué veo que las comiste de tres en tres? En que comía yo de dos en dos y tú callabas.

Me reí en silencio y comprendí que mi amo era más listo que nadie.

Para no hacer este relato demasiado largo, no le voy a contar a Vuestra Merced todas las cosas que me pasaron con mi primer amo, pero quiero decir cómo me despedí de él.

Estábamos en Escalona, en un mesón, y mi amo me dio un pedazo de longaniza diciéndome:

–Lázaro, pon esta longaniza en el fuego. Y luego, con este dinero, vete a comprar vino para acompañar la comida.

El diablo me puso la ocasión delante de los ojos; y como dice la gente que la ocasión hace al ladrón, eso me pasó a mí. Y ocurrió que cerca del fuego había un nabo[38] pequeño, largo y feo, que por no ser bueno para el cocido, alguien había tirado allí. Yo tenía muchísima hambre, la longaniza olía maravillosamente; y sabía que, si no hacía nada, no iba a probar otra cosa que ese olor. Miré a un lado y a otro del comedor, y viendo que el ciego y yo estábamos solos, no lo dudé más: cogí la longaniza y sin pensar en qué podía ocurrirme después, la cambié por el nabo. Mi amo empezó a dar vueltas al nabo en el fuego, creyendo que era la longaniza que yo había robado.

Salí a comprar el vino y por el camino me comí la rica longaniza. Cuando volví, encontré al mal ciego que tenía entre las manos dos pedazos de pan entre los que había puesto

–¿Qué es esto, Lazarillo?
–¡Ay, yo no sé nada! ¿Qué culpa tengo yo? ¿No vengo de comprar el vino?

el nabo. Todavía no se había dado cuenta del engaño, por no haber tocado el nabo con la mano. Pero cuando se metió el pan en la boca, pensando también llevarse parte de la longaniza, se encontró, sin esperarlo, con el frío nabo. Le cambió la cara y dijo:

—¿Qué es esto, Lazarillo?

—¡Ay, yo no sé nada! —contesté— ¿Qué culpa tengo yo? ¿No vengo de comprar el vino? Alguien que estaba aquí os ha hecho esta burla.

—No, no —dijo él—, porque yo no me he movido de este lugar. No es posible.

Yo volví a decir que no tenía la culpa, pero de poco me sirvió porque mi amo no se dejaba nunca convencer fácilmente. Se levantó, me cogió por la cabeza y se acercó para olerme. Y para estar más seguro abrió mi boca y metió dentro su enorme nariz, que con el enfado se había alargado más todavía.

Y con esto, y con mi gran miedo, y como hacía todavía poco tiempo que la longaniza estaba en mi cuerpo, ocurrió que la rica comida volvió a su dueño: tan mal me sentí en aquel momento que su nariz y la negra longaniza salieron juntas de mi boca.

El mezquino ciego se enfadó tanto que, si no llegan los clientes del mesón, asustados por el ruido, el viejo me mata allí mismo. Ellos me sacaron de entre sus manos, dejándoselas llenas de aquellos pocos pelos que yo tenía.

El mal ciego contaba a todas las personas que se acercaban a nosotros mis aventuras pasadas: la del jarro, la del racimo de uvas, la de ahora. Y la risa de todos era tan grande que la gente que pasaba por la calle entraba al mesón para ver la fiesta. Y yo, que estaba enfermo y llorando, pensaba al mismo tiempo que el viejo tenía mucha gracia para contar las cosas.

Pero pronto empecé a recordar qué tonto había sido: ¿cómo no le había dejado sin nariz entonces? La mitad del camino estaba andado. La tenía en mi boca y bastaba con cerrarla bien fuerte.

La dueña del mesón y la gente que estaba allí se hicieron amigos nuestros y con el vino que le había traído al ciego, me lavaron la cara y la boca. Mientras, éste riéndose me decía:

—La verdad es que este mozo me gasta más vino en lavarse durante un año que el que yo bebo en dos. ¡Ay, Lazarillo!, le debes al vino más que a tu padre, pues él te dio la vida sólo una vez, y el vino más de mil. Te digo yo que si algún hombre en el mundo puede tener suerte con el vino en el futuro, ése serás tú.

La gente reía mucho con esto. Yo protestaba, pero hoy puedo decir que estas palabras del ciego fueron bien ciertas. Y, desde entonces, muchas veces me acuerdo de aquel hombre y siento las burlas que le hice; porque lo que me dijo era verdad, como después oirá Vuestra Merced.

Viendo las malas burlas que el ciego me hacía, decidí dejarle. Hacía tiempo que tenía la idea en la cabeza, pero con esta última broma me terminé de convencer. Al día siguiente salimos por el pueblo a pedir dinero a la gente. Había llovido mucho la noche antes; y como llovía otra vez, el ciego se quedó rezando debajo de unos soportales[39] que en aquel pueblo había y donde no nos mojábamos; pero como la noche venía y seguía lloviendo, el ciego me dijo:

—Lázaro, esta agua es muy mala, pero por la noche es peor todavía. Vámonos al mesón.

Para ir allí, teníamos que cruzar un río pequeño que aquel día, por la lluvia, llevaba mucha agua. Yo le dije:

—Tío, el río está muy ancho; pero si queréis, yo veo un sitio más estrecho por donde podemos pasar más pronto y sin mojarnos.

—Eres muy inteligente, Lazarillo, y por eso me gustas. Guíame hasta ese lugar, pues estamos en invierno y no quiero llevar los pies mojados.

Entonces, vi que el momento era bueno; le saqué de debajo de los soportales, le llevé enfrente de un pilar[39] de piedra que estaba en la plaza, y le dije:

—Tío, éste es el paso más estrecho del río.

Tanto llovía que el pobre viejo se mojaba. Y como tenía mucha prisa por salir del agua que nos caía encima, y Dios me ayudó, creyó en mí. Por eso dijo:

—Ponme bien derecho y cruza tú primero.

Yo le coloqué exactamente enfrente del pilar y salté[40] al otro lado; y poniéndome detrás del mismo pilar, como quien espera al toro, le dije:

—¡Ahora! ¡Dad vos[41] un gran salto[40]!

Todavía no había terminado de hablar cuando el ciego, dando un paso atrás para hacer mayor el salto, se tiró como un toro; fue a parar con la cabeza contra el pilar y del golpe tan fuerte, cayó para atrás medio muerto y con la cabeza abierta.

—¿Cómo pudo ser? ¿Olisteis la longaniza y no la piedra? —le dije yo— ¡Oled! ¡Oled!

Y allí le dejé en el suelo, entre todas las personas que habían ido en su ayuda. Por mi parte, yo me marché corriendo y antes de la noche llegué a Torrijos. No supe nunca lo que Dios hizo de él, ni me preocupé de saberlo.

TRATADO SEGUNDO

CÓMO LÁZARO SE FUE A VIVIR
CON UN CLÉRIGO,
Y LAS COSAS QUE LE PASARON CON ÉL

AL día siguiente, como no me parecía estar allí seguro, me fui a un pueblo llamado Maqueda donde, por mala suerte, me encontré con un clérigo. Y como le estaba pidiendo dinero, me preguntó si sabía ayudar a misa[42]. Como era verdad, yo dije que sí; porque el viejo ciego había sido duro conmigo, pero también me había enseñado mil cosas buenas, y de entre ellas, ésta. Finalmente el clérigo me recibió como criado.

Salí de un mal para llegar a otro peor. Y es que el ciego, que era tan mezquino como he contado, era, al lado de éste, el mejor de los hombres. Para que se entienda, sólo digo que todas las cosas malas del mundo estaban dentro de éste (no sé si había nacido con ellas, o si las había hecho suyas después, cuando se hizo clérigo).

Él tenía un arca[43] grande y vieja cerrada con una llave, que siempre llevaba colgada del cinturón. En cuanto venía de decir misa, guardaba en el arca el pan que las mujeres llevaban a la iglesia y volvía a cerrarla con llave; y en toda la casa no había ninguna cosa de comer, como hay en otras: ni un trozo de jamón colgado, ni un pedazo de queso o de pan olvidado en una mesa.

Solamente había unas pocas cebollas[44] en una habitación cerrada con llave en lo alto de la casa. De éstas me tocaba a mí comer una cada cuatro días. Y entonces, cuando le pedía la llave a mi amo, si había alguien delante, él me la daba diciendo:

—Toma, y tráela enseguida, pues no es bueno comer demasiado.

Oyéndole, la gente podía creer que aquel cuarto estaba lleno de todas las frutas de Valencia; y en él no había más, como dije, que unas pocas cebollas, que él tenía tan bien contadas que era imposible coger una de más. En fin, que yo me moría de hambre.

A mí me daba poco, pero para sí mismo gastaba mucho dinero. Cada día me enviaba a comprar carne, con la que hacía sopa para comer y para cenar. Es cierto que a mí me invitaba a parte de la sopa. Pero de carne, ¡nada de nada!: yo no la probaba, y no me daba él más que un poco de pan. Sólo algún sábado, porque él comía mejor todavía, el clérigo me dejaba terminar su plato, donde casi no quedaban más que unos pocos huesos[45].

—Toma, come, Lázaro —me decía entonces—. El mundo es tuyo, no protestes: ¡tienes mejor vida que nadie!

«Que Dios te la dé a ti» —decía yo en voz baja para mí.

Después de tres semanas de estar con él, me encontraba tan débil que no me podía tener en pie, del hambre que tenía. Me vi claramente muerto, si Dios y mi saber no me ayudaban.

Durante la misa, cuando estábamos en el momento de recibir el dinero, el clérigo lo contaba todo mientras caía en el platillo: un ojo tenía en la gente y el otro en mis manos. Le bailaban los ojos y, en cuanto yo terminaba, me quitaba el platillo.

No pude robarle nada en todo el tiempo que a su lado viví, o mejor dicho, morí. Nunca me mandó a comprar ninguna botella, porque con el poco vino que cogía de la misa, tenía para toda la semana. Pero intentaba no parecer mezquino diciéndome:

—Mira, mozo; los clérigos sólo deben comer y beber lo necesario; como hago yo, y no como hacen otros.

Pero mi amo no decía la verdad; porque en los entierros[46], como pagaban otros, comía y bebía más que nadie.

Y hablando de entierros, me acuerdo de que cuando visitábamos a algún enfermo grave, yo, con todo mi corazón, le pedía a Dios su muerte. Hacía esto porque en estas ocasiones comíamos hasta cansarnos. Y cuando alguno de éstos se curaba, Dios me perdone, yo mil veces le mandaba al diablo porque ese día me quedaba sin comer. Durante los casi seis meses que estuve con el clérigo, sólo veinte personas murieron. Y éstas pienso que las maté yo, o mejor dicho, murieron porque yo se lo había pedido a Dios: yo creo que Él, viendo tan cerca mi muerte, mataba a la pobre gente para darme a mí la vida. Sin embargo, aquello no era solución: porque el día que enterrábamos, yo vivía; pero los días en que no había ningún muerto, yo volvía al hambre de siempre y me parecía todavía peor que antes. Así que no encontraba descanso en nada, y alguna vez pedía la muerte para mí también.

Pensé muchas veces dejar a aquel mezquino amo, pero no lo hacía por dos razones: la primera, porque mis piernas estaban muy débiles por el hambre; la segunda, porque yo me decía:

«Yo he tenido dos amos: el primero me tenía muerto de hambre y, en cuanto le dejé, me encontré con este otro, que me tiene casi enterrado. Si me voy de su lado, y me encuentro con otro peor todavía, será para mí la muerte segura.»

Y así pasaba mi triste vida cuando, un día en que mi horrible y mezquino amo había salido del pueblo, llegó a mi puerta un hombre de ésos que venden llaves, cuchillos, tijeras y otras cosas para la casa. Yo creo que a ese hombre Dios le había enviado para ayudarme. Me preguntó si tenía alguna cosa rota en casa. «Yo mismo estoy roto» —dije en voz baja.

No me oyó, y como no había tiempo que perder en palabras inútiles, le dije:

—Tío, he perdido la llave de esta arca y si mi amo lo sabe, me va a matar a golpes. Por vuestra vida os lo pido: mirad si alguna de ésas que traéis puede abrir el arca. Yo os lo pagaré.

El buen hombre empezó a probar una y otra de todas las llaves que traía y yo a ayudarle con mis sencillas oraciones. Y cuando menos lo esperaba, vi los panes dentro del arca abierta. Entonces le dije:

—Yo no tengo dinero que daros por la llave, pero tomad de ahí el pago.

Él tomó un pan de aquéllos, el que mejor le pareció; y dándome la llave, se fue muy contento, dejándome a mí mucho más contento todavía.

Pero por el momento no cogí nada: mi amo podía darse cuenta del robo; y además, viéndome dueño del arca con la llave, me parecía que el hambre no me quería llegar. Vino aquel mezquino, y gracias a Dios, no se dio cuenta de que faltaba un pan.

Y al día siguiente, viendo a mi amo salir por la puerta, abrí el arca maravillosa y tomé entre mis manos un pan, que en un segundo desapareció por mi boca. Luego cerré el arca y me puse a limpiar la casa más alegre que nunca, pensando que de esta manera había encontrado solución para mi triste vida. Así estuve aquel día y otro más. Pero estaba escrito que aquel descanso no podía seguir, porque al tercer día se acabó la felicidad.

Y ocurrió que de repente vi a mi amo abrir el arca y empezar a contar los panes. Yo intentaba mirar para otro lado, mientras rezaba en voz baja: «¡Dios quiera que te quedes ciego!»

Después de estar un gran rato contando días y dedos, me dijo el mezquino:

—No sé cómo puede ser, porque el arca está bien guardada; pero a mí me parece que de ella alguien ha sacado panes. Así que, para estar más seguro, desde hoy voy a tenerlos muy bien contados: quedan nueve panes y un pedazo.

«¡Mala vida te dé Dios!» —dije yo para mí.

Me pareció que sus palabras me rompían el corazón, y que de repente, viéndome de nuevo en mi vida pasada, me nacía todo el hambre del mundo. Mi amo salió de casa. Yo, para sentirme menos triste, abrí el arca; y vi los panes; y los conté, pensando que quizás el amo se había equivocado, pero el número era exacto. Lo más que pude hacer fue darles mil besos y con muchísimo cuidado, del pan que no estaba entero, cogí un pedacito muy pequeño; y con esas pocas migas pasé aquel día, no tan alegre como el pasado.

Pero seguía con tanta hambre que no hacía otra cosa que abrir y cerrar el arca, y mirar el pan. Por suerte, Dios, que se acuerda de los tristes, trajo a mi memoria la solución; pensando y pensando, me dije: «Esta arca es vieja, grande y rota por algunas partes, con agujeros pequeños. El clérigo puede pensar que los ratones[47] entran en ella y se comen el pan. Así que no debo sacarlo entero, porque se dará cuenta».

Sobre una mesa que estaba allí empecé a quitar miga de los panes; y tomando uno y dejando otro, comí parte de tres o cuatro. Después, me sentí un poco mejor. Pero mi amo, cuando volvió a casa, abrió el arca y vio el daño. Como yo lo había hecho muy bien, y él vio los agujeros del arca, no dudó de que aquello era obra de los ratones. Me llamó diciendo:

—¡Lázaro! ¡Mira, mira quién nos ha visitado esta noche para quitarnos el pan!

—¿Qué decís? ¿Quién ha podido ser? —pregunté.

—¿Y quién puede ser? Ratones, que no dejan ninguna cosa con vida.

Empezamos a comer, y Dios quiso hacerme feliz, pues ese día me tocó más pan que de costumbre: porque mi amo cortó con un cuchillo todo lo que pensaba que habían tocado los ratones, diciendo:

—Cómete esto, que el ratón es un animal muy limpio.

Pero después de comer tuve una nueva sorpresa, que fue verle muy ocupado buscando por toda la casa trozos de madera para cerrar los agujeros de la vieja arca.

«¡Oh, Dios mío! —dije yo entonces— ¡Cuántos dolores esperan a los hombres y qué pocas alegrías tenemos en nuestra difícil vida! Pensaba haber encontrado esa pobre y triste solución para no morirme de hambre y me veía yo más contento y con un poquito de suerte. Pero estaba equivocado, pues ahora viene este mal hombre y cerrando los agujeros del arca, cierra también la puerta a mi felicidad y la abre a mis penas.»

Esas cosas tristes pensaba yo cuando mi amo terminó su trabajo diciendo:

—Ahora, ratones ladrones, deberíais iros a otra casa, pues en ésta poca comida vais a encontrar.

En cuanto mi amo salió de casa, fui a ver cómo estaba el arca y encontré que el muy mezquino no había dejado un solo agujero sin cerrar. Abrí con mi pobre llave, y vi los dos o tres panes empezados, los que mi amo creyó medio comidos por los ratones; y de ellos todavía pude sacar unas poquitas migas más, con muchísimo cuidado. El hambre es tan buena maestra que, viéndome con tanta siempre, yo estaba noche y día pensando en la manera de conseguir comida para seguir viviendo. Y pienso que para ello el hambre me servía de luz, pues la gente dice que despierta la inteligencia y era cierto en mí.

Ocurrió una noche que estaba despierto y sabía que mi amo dormía: me levanté despacio y, sin hacer ruido, me fui hacia el arca. Había pensado durante el día lo que debía hacer, y había dejado cerca un cuchillo; con él intenté hacer un agujero en la parte más débil del arca. Y como la madera de la viejísima arca, por ser de tantos años, estaba ya muy blanda, me dejó hacer en uno de sus lados un buen agujero. Después, con mucho cuidado, abrí el arca herida, y cogí de ella un poco del pan que encontré empezado. Con aquello, ya un poco más tranquilo, cerré la caja; y volví a mi cama de paja donde dormí un poco.

Al día siguiente, el clérigo vio el daño hecho, tanto en el pan como en el arca, envió los ratones a todos los diablos y dijo:

—¿Qué diremos a esto? ¡En esta casa no ha habido nunca ratones hasta ahora!

Y decía la verdad, porque los ratones no viven donde no hay nada para comer. Así que empezó a buscar más madera por toda la casa para cerrar mejor los agujeros. Pero todos los agujeros que él cerraba de día, los abría yo de noche.

Tanta prisa nos dábamos cada uno en hacer nuestro trabajo que de esto sin duda vino la costumbre de decir: «Donde una puerta se cierra, otra se abre.» Y en pocos días y noches pusimos el arca que daba pena verla.

Viendo que con aquella caja no había nada que hacer, el clérigo dijo:

—Esta arca está ya tan mal y es de una madera tan vieja, que no se puede defender de ningún ratón. Lo mejor va a ser hacer una cosa, que es meter una ratonera[48] dentro.

Pidió prestada una ratonera, y con unos trocitos de queso que los vecinos le daban, todos los días tenía su arma preparada dentro del arca. Esto era para mí una ayuda maravillosa. Porque, como a mí no me gustaban las comidas complicadas, con el queso que sacaba de la ratonera, y con el pan, yo estaba encantado.

Como el clérigo encontraba el pan y el queso comidos, pero no al ratón que los comía, se enfadaba muchísimo; y preguntaba a todo el mundo sobre el caso. ¿Cómo podía el ratón sacar el queso de la ratonera y no caer allí muerto? Los vecinos decidieron que el animal que hacía ese daño no podía ser el ratón. Y le dijo uno de ellos:

—En vuestra casa, yo me acuerdo de que había una culebra[49]. Y ésta es, seguro. Como es larga y estrecha, puede meterse y coger el queso; y si cae en la ratonera, como no entra toda ella dentro, se vuelve a salir.

El vecino convenció a todos y también asustó mucho a mi amo, que desde entonces no pudo dormir tranquilo: cuando oía el más pequeño ruido, ya estaba pensando que la culebra le comía el arca. Enseguida se levantaba; y con un palo[50] de madera que ponía al lado de su cama desde que le dijeron aquello, daba al arca grandes golpes pensando asustar a la culebra. Despertaba a los vecinos con el ruido que hacía, y a mí tampoco me dejaba dormir. Después se iba a mis pajas y las movía, y a mí con ellas, creyendo que la culebra iba hacia mí y se quedaba en mi cama o en mi ropa buscando calor.

Yo casi siempre me quedaba con los ojos cerrados, sin decir nada, y por la mañana él me decía:

—¿Esta noche, mozo, no sentiste nada? Estuve buscando a la culebra, y todavía pienso que estaba en tu cama; porque son animales muy fríos y buscan calor.

—Dios quiera que no me haga ningún daño —le decía yo—, porque me da muchísimo miedo.

Así pasaban los días y las noches. Y la culebra (o cule- bro, para ser más exacto), por miedo, no comía de noche ni se acercaba al arca; pero de día, mientras el clérigo estaba en la iglesia o por el pueblo, yo le robaba.

Tuve miedo pensando que mi amo, buscando así la cule- bra, podía encontrar la llave que yo tenía debajo de las pajas. Y me pareció que lo más seguro era meterla de noche en la boca. No era para mí cosa nueva, sino vieja costumbre: desde que había vivido con el ciego, tenía la boca tan hecha caja que podía guardar en ella dinero y comer al mismo tiempo; porque no había otra manera de esconder nada con aquel mezquino, que no dejaba un bolsillo sin mirar.

Así que dormía con la llave en la boca y ya sin miedo. Pero cuando la mala suerte viene, no podemos hacer nada en contra: una noche, la llave se me colocó en la boca, que tenía abierta, de tal manera que el aire que salía por ella pasaba por el agujero de la llave; y el aire hacía un extraño ruido, parecido al que hace una culebra. Mi amo lo oyó y pensó eso mismo: que era la culebra.

Se levantó despacio de la cama, con su palo de madera en la mano y siguiendo el sonido de la culebra, se acercó a mí, sin hacer ruido y sin encender ninguna luz, para no asustarla. Y cuando se vio delante de mi cama, pensó que allí, entre las pajas, estaba el animal. Y pensando tener la culebra debajo, levantó bien el palo y me dio en la cabeza un golpe tan fuerte que me la dejó rota. Él contaba que,

Con mucha prisa fue a buscar luz y me encontró medio muerto y con la llave todavía en la boca.

cuando se dio cuenta de que me había herido, se acercó a mí; y gritándome, llamándome, intentó despertarme. Me tocó entonces la cara con sus manos y enseguida entendió el gran daño que me había hecho. Con mucha prisa fue a buscar luz y me encontró medio muerto y con la llave todavía en la boca.

Muy sorprendido, mi amo se preguntó qué podía ser aquella llave. Y sacándomela del todo de la boca, vio que era igual a la suya. Fue luego a probarla en el arca y entendió la burla.

Después de tres días me desperté y me encontré entre mis pajas y con toda la cabeza llena de aceites que alguna mujer o algún médico me había puesto para curarme; y, con miedo, dije:

—¿Qué es esto?

El mal clérigo me contestó:

—Ya he cogido al ratón y a la culebra que me comían los panes.

Me quedé pensando, y me vi tan mal que enseguida empecé a comprender qué había pasado.

Entonces entró una vieja que curaba con oraciones, y también los vecinos. Empezaron a lavarme y a curarme la herida. Y como me encontraron un poco mejor, estuvieron muy contentos y dijeron:

—Puesto que ya está despierto, si Dios quiere, no será nada.

Y volvieron de nuevo a contar mis penas y a reírse, y yo a llorar. Me dieron de comer, porque estaba muerto de hambre. Y así, a los quince días me levanté ya sin peligro para mi vida (pero no sin hambre), y medio curado.

Al día siguiente de levantarme, mi amo me tomó por la mano y me sacó de la casa; y, cuando estuve en la calle, me dijo:

—Lázaro, desde hoy eres tuyo y no mío. Busca amo y vete con Dios. Porque yo no quiero a mi lado un criado tan bueno. Parece enteramente que has sido mozo de ciego.

Y después de decir estas palabras, como con miedo de estar viendo al diablo, el clérigo se volvió a meter en casa y cerró su puerta.

Tratado Tercero

CÓMO LÁZARO SE PUSO A TRABAJAR PARA UN ESCUDERO[51], Y LO QUE LE OCURRIÓ CON ÉL

Tuve que seguir mi camino y, con la ayuda de las buenas gentes, llegué a la importante ciudad de Toledo, donde en quince días se me cerró la herida de la cabeza. Y mientras estuve enfermo, siempre me daban algún dinero cuando pedía por las calles; pero después de estar curado, todos me decían:

—Tú no eres más que un vago. Busca, busca un amo a quien servir.

—¿Y dónde encontraré yo a ése —decía yo para mí—, si Dios no le pone en el mundo y le da vida ahora?

Andando yo así, pidiendo dinero de casa en casa, me encontré con un escudero que iba por la calle, muy bien vestido, con aspecto elegante y tranquilo. Me miró y yo le miré a él, y me dijo:

—Muchacho, ¿buscas amo?

—Sí, señor —le dije yo.

—Entonces ven detrás de mí —me respondió—, puesto que Dios te ha dado esta suerte de encontrarte conmigo; alguna buena oración rezaste hoy.

Y le seguí, dando gracias a Dios por estas palabras, y también porque me parecía, por su aspecto y vestido, ser el amo que yo necesitaba.

Era por la mañana cuando me encontré con este hombre que iba a ser mi tercer amo; y le seguí por gran parte de la ciudad. Pasábamos por las plazas donde se vendía pan y otras cosas de comer. Yo pensaba (y esperaba) que allí el escudero quería comprar y hacerme llevar lo que se vendía; porque ésa era buena hora, la hora en que la gente compra lo necesario para la comida. Pero él pasaba rápido delante de esas cosas. «Quizás no le gusta lo que ve aquí –pensaba yo–. Y quiere que compremos en otro sitio, seguro.»

De esta manera anduvimos hasta cerca de las once. Entonces entró en la iglesia mayor y yo detrás de él; le vi oír la misa y decir todas las oraciones hasta que todo fue acabado y se fue la gente. Entonces salimos de la iglesia y andando de prisa comenzamos a bajar una calle. Yo iba el más alegre del mundo pensando que no nos habíamos ocupado de buscar comida. Creí que mi nuevo amo era hombre que compraba mucho de una vez; y que la comida que yo necesitaba, y mucho, estaba ya preparada en su casa, esperándonos.

En aquel momento oímos que el reloj daba la una de la tarde, y llegamos a una casa. Mi amo se paró delante y yo con él. Sacó entonces una llave, y abrió su puerta y entramos en casa. La entrada era tan oscura que daba miedo, pero dentro había un patio pequeño y unas habitaciones bastante grandes.

En cuanto entramos, mi amo se quitó la capa[52]; y, después de preguntarme si tenía las manos limpias, le quitamos el polvo del camino y con mucho cuidado, la pusimos encima de un banco de piedra. Después, se sentó al lado de ella y se tomó todo su tiempo para preguntarme de dónde era y cómo había llegado a aquella ciudad. Yo le conté mi vida, pero con pocas ganas, porque aquélla me parecía mejor hora para poner la mesa y comer que para charlar. Le hablé de mi persona mintiendo lo mejor que supe: contando lo bueno y callando lo otro, porque no eran cosas para sitio tan elegante. Así estuvimos un poco y empecé a preocuparme, porque eran ya casi las dos y yo no veía en aquel hombre más interés por comer que en un muerto. También pensaba en todas las cosas que allí me parecían extrañas: la puerta cerrada con llave, no oír ni arriba ni abajo ningún ruido de vida por la casa. Todo lo que yo había visto eran paredes, pero no encontré ni silla, ni mesa, ni tampoco arca como la del clérigo. Y cuando estaba ocupado con aquellas preguntas, me dijo:

—Tú, mozo, ¿has comido?

—No, señor —dije yo—, pues todavía no eran las ocho cuando me encontré con Vuestra Merced.

—Es que a esa hora yo sí lo había hecho. Y cuando como algo así, pronto, te hago saber que hasta la noche no vuelvo a tomar nada. Por eso, espera un poco, y después cenaremos.

Vuestra Merced debe creer, que cuando oí estas palabras, casi me caí al suelo; no tanto por el hambre que sentía, como por comprender bien mi mala suerte. Allí me vinieron a la memoria todas mis anteriores aventuras y volví a llorar sobre mis penas. Me acordé de lo que pensaba cuando dudaba si dejar o no al clérigo; del miedo que tenía de encontrar otro amo peor todavía. Allí lloré sobre mi vida pasada y sobre mi próxima muerte. Pero, intentando esconder lo que sentía, le dije:

—Señor, soy un mozo que no se preocupa mucho por la comida: es una de las cosas buenas que tengo; y por esta razón me quisieron los otros amos que yo he tenido.

—Entonces eres buen muchacho —dijo él— y por eso yo te querré más: porque comer demasiado es cosa de animales; y comer sólo lo necesario, cosa de buenos cristianos.

«¡Te he entendido bien! —dije yo para mí— ¡Al diablo las tristes ideas de los amos que encuentro: porque para ellos el hambre es buenísima para la salud y lo mejor en la vida!»

Me puse entonces a un lado del portal, y saqué de entre mis ropas unos pedazos de pan que me habían dado por la calle. Él, que vio esto, me dijo:

—Ven aquí, mozo. ¿Qué comes?

Yo me acerqué a él y le enseñé el pan. Tomó uno de los tres trozos que había: el mejor y más grande. Y me dijo:

—Por mi vida, parece buen pan. ¿Dónde lo conseguiste? ¿Está hecho con manos limpias[53]?

—Yo no sé eso —le dije—; pero yo lo encuentro rico y me da igual.

—Está bien —dijo mi amo.

Y llevándoselo a la boca, empezó a comer su pan con tantas ganas como yo el mío.

—Sí, es un pan buenísimo —dijo—, por Dios.

Y cuando vi que él tenía más hambre que yo, me di prisa; porque comprendí que, si acababa él antes que yo, iba a querer ayudarme con el tercer pan. Acabamos los dos casi al mismo tiempo. Y mi amo empezó a limpiarse las pocas miguitas que en el pecho le habían caído. Y entró en una pequeña habitación que allí estaba; de ella sacó un jarro medio roto y no muy nuevo. Bebió primero y luego me invitó. Yo, por seguir con las mentiras, dije:

—Señor, no bebo vino.

—Es agua —me respondió—; puedes beber tranquilamente.

Entonces tomé el jarro y bebí. No mucho, porque de sed no eran mis penas.

Así estuvimos hasta la noche, hablando de las cosas que me preguntaba y que yo contestaba lo mejor que sabía. En ese momento, él me metió en la habitación donde estaba el jarro y me dijo:

—Mozo, ven aquí; verás cómo hacemos esta cama y así desde ahora sabrás hacerla tú.

Yo me puse en un lado y él en el otro e hicimos la negra cama: no había mucho que hacer porque sólo tenía un mal colchón[54], muy delgado y sucio, colocado sobre unos duros bancos de madera.

Cuando estuvo hecha la cama y vino la noche, me dijo:

—Lázaro, ya es tarde y la plaza está muy lejos de aquí. Además, en esta ciudad hay muchos ladrones, que por la noche roban las capas. Pasemos aquí la noche y mañana, de día, veremos qué podemos hacer; porque yo, como estaba solo en casa, no tengo nada para cenar. Antes siempre comía por allí fuera, pero desde ahora, debemos hacerlo de otra manera.

—Señor —dije yo—, no tenga Vuestra Merced ninguna pena de mí, pues sé muy bien pasar una noche sin comer, y más de una, si es necesario.

—Vivirás más y con mejor salud —me contestó—; porque, como decíamos hoy, no hay cosa mejor en el mundo para vivir mucho, que comer poco.

«Si ése es el camino —dije para mí—, yo no moriré nunca; porque eso es lo que siempre he tenido que hacer; y me parece que voy a deber hacerlo toda mi vida.»

Y el escudero se acostó en la cama, poniendo su ropa debajo de la cabeza. Y me mandó acostar a sus pies, lo que hice. Pero muy poco pude dormir, porque la dura piedra y mis pobres huesos pelearon durante toda la noche. El cuerpo entero me dolía en aquella cama tan poco cómoda; y como no había comido casi nada aquel día, me moría de hambre, que no es amiga del sueño. Sólo podía pensar en mi mala suerte y mil veces le pedí a Dios (que Él me lo perdone), la muerte; y lo peor era que no podía moverme, por no despertar al escudero.

Cuando llegó la mañana, nos levantamos y comenzó a limpiar con mucho cuidado su ropa. Y yo le ayudé. Después se vistió muy despacio y, mientras se ponía la espada[55] en el cinturón, me dijo:

—¡Oh, no sabes, mozo, qué espada es ésta! Yo no la cambiaría por todo el oro del mundo, pues no hay otra igual.

Y tocándola suavemente con los dedos, dijo:

—Mírala bien. Te digo yo que con ella puedo cortar lo más pequeño y delgado.

Y yo pensé para mí: «Y yo, con la boca, puedo cortar un pan grande».

Y despacio, el cuerpo muy derecho, moviendo elegantemente la cabeza a un lado y otro, y la capa debajo del brazo, salió por la puerta diciendo:

—Lázaro, ocúpate de la casa mientras yo voy a misa. Haz la cama y vete a llenar el jarro de agua al río, que está aquí abajo. No te olvides de cerrar la puerta con llave, pues no quiero que nos roben los ladrones; luego, la dejas aquí escondida, por si vengo antes que tú.

Y subió por la calle, tan elegante y tan alegre que la gente podía pensar que era algún importante personaje, o, al menos, su criado. «¡Qué bueno es Dios, que da la enfermedad, y al mismo tiempo, su solución! —me quedé yo pensando— ¿Quién no creerá, viéndole tan contento, que mi amo ha tenido anoche una rica cena y ha dormido en la mejor de las camas? ¡Cómo dejáis, Dios, a la gente equivocarse! ¿A quién no engañará la manera de andar y el buen aspecto de ese hombre? ¿Y quién pensará que se pasó ayer todo el día sin comer más que un pedazo de pan duro que su criado Lázaro llevó un día y una noche entre sus ropas sucias? Nadie, seguro. ¡Oh, Señor, cuántas personas hay en el mundo que, como mi amo, se preocupan mucho más de su honra[56] que de serviros a Vos!»

Así estaba yo en la puerta, mirando y pensando éstas y otras muchas cosas. Por fin, vi a mi amo perderse más allá de la larga y estrecha calle; y volví entonces a entrar en casa. Me fui de una habitación a otra, arriba y abajo, sin pararme en ningún sitio ni encontrar motivo para ello. Hice la negra y dura cama, tomé el jarro, y fui al río. Y allí vi a mi amo en dulce conversación con dos mujeres: de las que en aquel lugar no faltan, pues muchas tienen costumbre de ir cerca del río a tomar el aire y a comer durante las mañanitas del verano; sin llevar la comida, pues saben que habrá más de un hombre para dársela.

Como digo, él estaba allí, diciéndoles las más bonitas palabras de amor. Y ellas, viéndole tan lleno de pasión, no tardaron en pedirle la comida, que pensaban pagar como ellas sabían. Pero a mi amo, que tenía los bolsillos tan fríos como caliente la cabeza, le vino de pronto un «calofrío»[57] que le robó el color de la cara. Las mujeres, cuando le vieron pálido y enfermo, entendieron muy bien qué le ocurría; y le dejaron, pues ellas no eran médicos para curar aquel mal.

Yo, que estaba buscando algo de comer por el campo, con mucho cuidado para no ser visto por mi amo, volví a casa. Allí intenté limpiar un poco, porque buena falta hacía, pero no encontré con qué. Empecé a pensar qué podía hacer. Me pareció que lo mejor era esperar a mi amo, por si traía algo para comer; pero esperé para nada.

Viendo que a las dos él no llegaba y que el hambre me mataba, salí a la calle. Cerré mi puerta, puse la llave donde me había mandado y volví a mi oficio. Con baja y enferma voz, los brazos cruzados sobre el pecho, mirando hacia el cielo y con el nombre de Dios en mi boca, empecé a pedir pan por las puertas y casas más grandes. Yo había aprendido este oficio muy bien con mi maestro el ciego; y antes de las cuatro ya tenía muchos trozos de pan en mi cuerpo, y otros más guardados entre mi ropa. Me volví a casa y, en una tienda donde entré, la dueña me dio un hueso con un poquito de carne y unas tripas cocidas[58].

Cuando llegué a casa, mi amo estaba ya en ella; tenía su capa muy bien colocada sobre el banco de piedra y se paseaba por el patio. En cuanto entré, se acercó a mí. Pensé que se iba a enfadar porque había tardado mucho. Pero no lo hizo. Me preguntó de dónde venía. Yo le dije:

—Señor, le esperé hasta las dos. Pero cuando vi que Vuestra Merced no venía, me fui por esa ciudad a pedir ayuda a las buenas gentes. Y me han dado esto que ve aquí.

Le enseñé el pan y las tripas que traía entre las ropas y con buena cara me dijo:

—Yo te he esperado para comer, y como no venías, comí. Pero tú haces bien, Lazarillo, pues es mejor pedir en nombre de Dios que robar. Pero sólo te pido una cosa: es que no digas que vives conmigo, para defender mi honra. Creo que no hay mucho peligro, porque soy poco conocido en este pueblo donde quisiera no haber venido nunca.

—Que Vuestra Merced no se preocupe —le contesté yo—, pues a mí nadie me pide explicaciones y tampoco me gusta darlas.

—Entonces, ahora, come, pobrecito. Y si Dios quiere, pronto estaremos mejor. Porque desde el día en que entré en esta casa, no me ha ocurrido nada bueno; creo que hay casas así, que dan mala suerte a la gente que vive en ellas. Pero yo te prometo que, el mes que viene, la dejaré para siempre.

Me senté en una esquina del banco de piedra y comencé a cenar en silencio mis tripas y mi pan. Mientras, yo miraba a mi pobre amo; y él no quitaba los ojos de mis faldas, que me servían de plato. Dios tenga pena de mí como yo tenía de él: porque me di cuenta de lo que sentía mi amo, y muchas veces yo había sentido lo mismo y todavía lo sentía cada día. Pensaba en invitarle; pero, como me había dicho que ya había comido, creía que no iba a poder aceptar. «¿Por qué no hace como ayer?», pensaba yo, y lo esperaba, pues había más comida y mejor que el día anterior; y también yo tenía menos hambre.

Dios me escuchó, porque, cuando comencé a comer, se acercó a mí paseando; y me dijo:

—Te digo, Lázaro, que nunca he visto a ningún hombre comer de tan bonita manera. No podría mirarte nadie sin sentir que se le despiertan las ganas. Y lo digo yo, que no tengo hambre.

«Por tener tú tanta —dije yo para mí— te parece mi hambre tan bonita.»

Así que, como me abría el camino para ello, le ayudé:

—Señor, la buena comida hace el buen comedor. ¡Cómo no van a apetecer este pan, que está riquísimo, y estas tripas tan bien cocidas y preparadas!

—¿Son tripas cocidas?

—Sí, señor.

—Te digo que es la mejor comida del mundo.

—Pruébelas, señor, y verá qué tal están.

Le puse en la mano unas tripas y tres o cuatro pedazos de pan de lo más blanco. Se sentó a mi lado y comió, sin dejar una miga.

—Por Dios, con qué ganas lo he comido todo. Parece que no he tomado nada durante todo el día.

«¡Y qué gran verdad es ésta!», dije yo para mí.

Me pidió el jarro del agua y se lo di como lo había traído. No le faltaba agua y esto significaba que mi amo no había comido. Bebimos, y muy contentos nos fuimos a dormir, como la noche pasada.

Mi amo se marchaba por la mañana muy contento, a pasear tranquilamente por las calles, mientras el pobre Lázaro buscaba comida para los dos.

Y para no ser aburrido diré rápido que de esta manera estuvimos ocho o diez días. Mi amo se marchaba por la mañana muy contento, a pasear tranquilamente por las calles, mientras el pobre Lázaro buscaba comida para los dos.

Yo pensaba en mi mala suerte. Había dejado a mis otros amos para buscar algo mejor; y había encontrado un amo que no sólo no me daba de comer, sino al que yo tenía que dar comida. Pero la verdad es que yo le quería, pues pronto vi que no daba nada porque no tenía nada. Me daba pena. Y muchas veces, por llevarle algo a él, me quedaba yo sin nada.

«Éste —decía yo—, es más pobre que yo, y nadie da lo que no tiene; no es como el ciego ni como el clérigo, que tanto tenían y me mataban de hambre.»

Dios sabe que ahora, cuando me encuentro con otros de su mismo aspecto y oficio, siento pena; porque pienso que tal vez llevan la misma triste vida que aquel amo. Sólo había una cosa en él que no me gustaba, y era su gran vanidad[59]: pues siendo él más pobre que nadie, quería parecer más rico que todos. Pero creo que esto es costumbre en esta clase de hombres. Y si Dios no les cura, morirán enfermos de este mal.

En esta situación estaba yo, viviendo como estoy contando a Vuestra Merced, cuando Dios quiso cambiar de nuevo mi vida. Y ocurrió lo siguiente: aquel año había sido muy malo para el campo, por llover muy poco; y la ciudad decidió que todos los pobres que no eran de Toledo debían marcharse del lugar; para el pobre extranjero que se quedaba, si alguien le encontraba pidiendo dinero por las calles, el precio era unos golpes dados públicamente, en medio de la ciudad. Y cuatro días después del aviso, ya vi yo cómo se daban y de qué dura manera muchos pobres eran despedidos. Tanto me asusté, que nunca más salí de casa a pedir dinero ni nada.

Es fácil imaginar el silencio de mi casa y nuestra pena y hambre, tan grandes que mi amo y yo estuvimos dos o tres días sin llevarnos nada a la boca y sin decir palabra. A mí me dieron la vida unas vecinas que me traían algunas cosillas para comer.

Pero es cierto que yo no tenía tanta pena de mí como de mi pobre amo, que no probó nada en ocho días. ¡Y verle venir por la mañana, bajando por la calle, tan derecho y con tan buen aspecto! Él, para guardar su honra, tomaba una pajita y salía a la puerta de la calle limpiándose las muelas, que no tenían nada entre sí. De esta manera todos los vecinos creían que había comido hasta cansarse.

—Esta casa es lo que nos da mala suerte, Lázaro —decía siempre—. Como ves, es fría, triste y oscura. Viviendo en ella, no podemos estar bien. Quiero que pronto termine este mes para poder salir de ella.

Así estábamos cuando, un día, no sé por qué casualidad, mi amo encontró algo de dinero; con él vino a casa muy contento, y con alegre sonrisa me lo dio diciendo:

—Toma, Lázaro, parece que por fin Dios se acuerda de nosotros. Ve a la plaza del mercado y compra pan y vino y carne: ¡pasémoslo bien! Y te voy a decir más: he alquilado otra casa y en ésta no vamos a pasar más de un mes. ¡No debí nunca venir aquí! Porque desde el momento en que por la puerta entré, no he probado ni una copa de vino, ni un pedazo de carne, y tampoco he podido descansar. Vete y vuelve pronto y comamos hoy como los ricos.

Cogí el dinero y el jarro y, corriendo, empecé a subir por mi calle, en dirección al mercado, muy contento y alegre. Pero, ¿cómo podía olvidarme de que en el cielo está escrita mi mala suerte? Porque mientras iba así, pensando cómo gastar mejor el dinero y dando gracias a Dios, me encontré con un muerto que muchos clérigos y más gentes traían por la calle.

Me acerqué a la pared, para dejarles sitio. Cuando el cuerpo pasó, vi que a su lado iban varias mujeres. Y entre ellas, había una que parecía ser la mujer del muerto, toda vestida de negro, y que, llorando a grandes voces, decía:

–¡Marido y señor mío! ¿A dónde os llevan? A la casa triste y oscura, a la casa fría donde nadie come ni bebe.

Yo, que oí aquello, pensé que se me caía el cielo encima. Y me dije: «¡Dios mío! ¡Para mi casa llevan este muerto!»

Cambié de dirección y, por en medio del entierro, bajé corriendo la calle para volver a mi casa. Después de entrar, cerré enseguida, llamando a gritos a mi amo, pidiendo su ayuda para defender la entrada. Y él, asustado, me dijo:

–¿Qué es eso, mozo? ¿Qué gritos son ésos? ¿Qué tienes? ¿Por qué cierras así la puerta?

—¡Oh, señor —dije yo—, venga aquí! ¡Nos quieren meter en casa un muerto!

—¿Un muerto? —contestó él.

—Aquí arriba lo encontré, y venía diciendo su mujer: «Marido y señor mío, ¿a dónde os llevan? ¡A la casa triste y oscura, a la casa donde nadie come ni bebe!» Aquí, señor, nos lo traen.

Y cuando oyó esto mi amo, que no tenía motivos para estar contento, rió muchísimo; rió tanto que mucho tiempo estuvo sin poder hablar. Mientras, yo me quedaba delante de la puerta para defenderla con mi cuerpo. La gente pasó con su muerto, pero yo todavía pensaba que nos lo querían meter en la casa. Y entonces, cuando se cansó de reír, mi amo me dijo:

—Es verdad, Lázaro; oyendo las palabras de esa mujer, tú tuviste razón de pensar lo que pensaste. Pero ya ves cómo el entierro no ha parado en esta casa; así que abre, abre y vete a comprar la comida.

—Espere un poco, señor; déles tiempo de dejar esta calle —dije yo.

Al final mi amo vino a la puerta y él mismo la abrió, intentando tranquilizarme, pues yo estaba todavía muy asustado. Me volví a marchar y aquella noche cenamos muy bien; pero mientras mi amo seguía riéndose de mis miedos, yo comí sin ganas y en tres días no volví a tener mi color.

De esta manera estuve algunos días con mi tercer y pobre amo, que fue este escudero. Y siempre queriendo saber de dónde era él y qué le había traído a esta tierra; porque desde el primer día que trabajé con él, viendo que en Toledo conocía a muy poca gente, supe que no era de allí. Y un día que no habíamos comido mal y él estaba bastante contento, me contó su vida: mi amo era de Castilla la Vieja, y había dejado su tierra por no haberse quitado el sombrero delante de un caballero[60], vecino suyo.

–Señor –dije yo–, si él era lo que decís y era más importante que vos, ¿no habéis hecho mal en no saludar a vuestro[61] vecino primero? ¿No decís, además, que él se quitaba también el sombrero?

–Sí, es cierto; pero yo me lo quité tantas veces primero que él también tenía que hacerlo alguna vez. ¿No te parece?

–Me parece, señor –le contesté yo–, que no es así; sobre todo si la persona tiene más edad y más dinero.

–Tú eres muy joven y no le das importancia a las cosas de la honra, que es lo único que nos queda. Pero yo te hago saber que soy, como ves, un escudero; sin embargo, si me encuentro con algún conde[62] en la calle y no se quita bien el sombrero, esto me ocurre una vez y no dos: en la próxima ocasión me meto en la primera casa, o cruzo hacia otra calle, si la hay, antes de tenerle enfrente, para no tener que quitarme el sombrero. Yo soy hidalgo[63], no lo olvides. También me acuerdo de que un día discutí con un criado, porque cada vez que me encontraba con él me saludaba con estas palabras: «Dios os guarde». «Vos, don mezquino –le dije–, ¿por qué me saludáis así? ¿No sabéis quién soy yo?, ¿creéis que soy como vos?» Y desde entonces aquel criado me saludó como debía.

—Pero señor —pregunté—, ¿no es ésta una buena manera de saludar a un hombre?

—¡Sólo a la gente inferior se la saluda así! —contestó mi amo— Para la gente de importancia, como yo, se usan otras palabras, como por ejemplo: «Beso las manos de Vuestra Merced», o por lo menos: «Os beso, señor, las manos», si la persona que me saluda es caballero. Así que nadie me volverá a decir «Dios os guarde».

«Claro —pensé yo— por eso Dios no te guarda ni te defiende, porque no dejas a nadie rezar por ti.»

—Y sobre todo, yo no soy tan pobre como parece —dijo—. Porque en el pueblo donde nací, no muy lejos de la rica Valladolid, tengo un campo donde puedo levantar algunos edificios muy grandes y buenos; y vendiéndolos, podría ganar muchísimo dinero. Y tengo también otras cosas que no digo y que allí dejé porque así me lo pedía mi honra. Yo vine a esta ciudad pensando que aquí iba a encontrar un buen señor al que servir, pero no ha sido así. Clérigos y arciprestes[64], encuentro muchos, pero son gente mezquina. Caballeros de poca importancia me buscan también; pero servirles es bastante cansado, porque hay que hacerles mil trabajos y, si no los hacemos, nos despiden rápido. Además, casi siempre, pagan poco y tarde. Y cuando nos quieren tener un poco más contentos, nos regalan alguna camisa suya o una capa ya vieja y llena de agujeros. Cuando un hombre trabaja con un conde o gran señor, es peor todavía. Y digo yo: ¿es que no conozco yo mi oficio? Dios sabe que lo tengo bien aprendido, y que puedo servir a alguno de éstos importantes mejor que nadie: sé reír las bromas del señor, decirle tantas mentiras como otro y hacerle sus días agradables. Sé qué cosas no debo decir para no herirle; trabajar mucho cuando él está delante; no cansarme para hacer bien lo que él no va a ver; gritarles a los criados cuando él está delante; si él mismo se enfada con éstos, darle más razones para ello; intentar saber todos los detalles de la vida de los vecinos para contárselos a él. En fin, todas estas cosas, y otras que se hacen en las casas importantes y gustan a los grandes señores, yo las podría hacer. Porque éstos no quieren para servirlos a hombres buenos, pues les parecen tontos y poco seguros para ayudarles en sus asuntos. Pero no quiere el cielo que encuentre a uno de éstos.

Y de esta manera mi amo lloraba sobre su mala suerte, contándome los detalles de su vida y persona.

Mientras estábamos así hablando, un hombre y una vieja entraron por la puerta. El hombre pidió a mi amo lo que le debía por haber alquilado su casa, y la vieja le pidió el dinero de la cama. Y él les dio muy buena respuesta, pues les dijo que iba a ir a la plaza para cambiar una moneda[65] de oro; que podían volver por la tarde. Pero la salida de mi amo fue sin vuelta.

Así que por la tarde el hombre y la vieja volvieron; pero fue tarde. Yo les dije que mi amo todavía no había llegado y los dos se marcharon. Por la noche él seguía sin venir, tuve miedo de quedarme solo y me fui a casa de las vecinas. Les conté el caso, y allí dormí.

Por la mañana, los dueños de la casa y la cama volvieron de nuevo y preguntaron dónde estaba mi amo. Las vecinas les respondieron:

—Aquí está su mozo y ésta es la llave de su puerta.

Ellos me preguntaron dónde estaba mi amo y les dije que no sabía; que él no había vuelto a casa desde que había salido a cambiar su dinero.

Cuando oyeron esto fueron a buscar a un alguacil[66]. Y pronto volvieron con él, tomaron la llave, y me llamaron; también llamaron a gente de la calle y abrieron la puerta. Anduvieron por toda la casa buscando con qué conseguir el dinero que mi amo les debía. Pero la encontraron vacía, como he contado.

—¿Dónde están los muebles de esta casa: dónde las arcas, las camas y sillas, los bancos, dónde? —me preguntaron entonces.

—Yo no sé eso —contesté.

—Seguro —dijo la vieja—, que esta noche este chico y su amo lo han sacado todo de aquí y lo tienen escondido en algún lugar. Señor alguacil, llevaos al mozo porque él sabe dónde está.

Enseguida vino el alguacil y cogiéndome por el cuello de la camisa, me dijo:

—Muchacho, si no dices ahora mismo dónde están las cosas de tu amo, te llevo a la cárcel.

Yo no me había visto nunca en una situación igual (porque cogido del cuello sí había ido mil veces, pero más suavemente, cuando guíaba al ciego); y me asusté muchísimo, y, llorando, le prometí contestar a todas sus preguntas.

—Está bien —dijo el alguacil—. Entonces cuéntanos todo lo que sabes y no tengas miedo. Dinos todo lo que tiene tu amo.

—Señores —dije yo—, mi amo me contó que tenía unos campos grandes donde pensaba levantar muchas casas, y algunas otras cosillas.

—Bien —dijeron ellos—, algún dinero podemos sacar por eso. Y, ¿en qué parte de la ciudad tiene eso? —me preguntó.

—En la tierra donde nació —contesté yo.

—Eso es peor —dijo—. ¿Y dónde es su tierra?

—Él me dijo que era de Castilla la Vieja —le dije yo.

El alguacil se rió mucho y dijo:

—Ésa es una buena información, pero las hay mejores.

Las vecinas, que estaban allí, dijeron:

—Señores, éste es sólo un niño, que no tiene la culpa. Hace pocos días que sirve a este escudero y no sabe de él más que vuestras mercedes. El pobrecito viene a nuestra casa y nosotras le damos de comer lo que podemos; y luego él se va a dormir con su amo.

El alguacil escuchó a la vecina y me dejó libre. Pero él también quería dinero por su trabajo y se lo pidió al hombre y a la vieja que le habían llamado. Sobre esto discutieron con gran ruido. Porque no querían pagar, pues no habían sacado nada de dinero a mi amo. Y mientras, el alguacil repetía que él había perdido un negocio muy importante por estar allí.

No sé cómo terminó todo esto, porque yo entonces salí corriendo de allí.

Así, como he contado, me dejó mi pobre tercer amo, y yo terminaba así de conocer mi mala suerte. A mí las cosas me ocurrían de manera muy original: y si la costumbre de los criados es dejar a sus amos, en mi caso no fue a así; y mi amo se marchó y me dejó a mí.

TRATADO CUARTO

CÓMO LÁZARO TRABAJÓ
CON UN FRAILE[67] DE LA MERCED
Y LO QUE LE PASÓ CON ÉL

TUVE que buscar el cuarto amo, y éste fue un fraile de la Merced. A él me habían enviado aquellas buenas mujeres. Decían que era pariente. Poco amigo de rezar y de comer con los otros frailes, prefería andar fuera, haciendo toda clase de visitas a unos y a otros. Tanto andaba de un lado para otro, que pienso que rompía más zapatos que todos sus compañeros. Éste me dio los primeros zapatos que rompí en mi vida; pero sólo tardé ocho días en romperlos y yo también acabé roto. Y por esto, y por otras cosillas que no digo, le dejé.

Tratado Quinto

CÓMO LÁZARO TRABAJÓ CON UN BULDERO[68] Y LAS COSAS QUE LE PASARON CON ÉL

MI quinto amo fue un buldero, el más listo y el más malo de los hombres que conocí y que vivieron en el mundo. Porque para vender sus bulas[68] buscaba y encontraba mil maneras; y tenía más imaginación que nadie.

Cuando entraba en los lugares donde tenía que presentar la bula, primero regalaba a los clérigos o curas algunas cosillas de poco valor: unas uvas, si era el tiempo, un par de naranjas, unas peras, unos ajos. De esta manera intentaba tenerlos contentos: así ellos le ayudaban en su negocio llamando a la gente del pueblo, avisando de que podían comprar la bula.

Cuando los clérigos venían a traerle el dinero recogido, él hablaba con ellos para saber cuáles eran sus conocimientos. Si decían que sabían mucho, él no les hablaba en latín[69], para no hacerlo peor que ellos. Pero si eran de los que tienen más dinero que estudios, entonces sí, les hablaba dos horas en latín; o en algo que no lo era, pero que lo parecía.

Cuando la gente no compraba las bulas con ganas, las compraba sin ganas. Y para ello el buldero molestaba o engañaba al pueblo entero. Y porque todas las mentiras que le oí decir son muy largas de contar, diré solo una, pero muy graciosa.

En un lugar llamado la Sagra de Toledo habíamos estado dos o tres días presentando la bula y nadie la había comprado, ni pensaba hacerlo. Mi amo estaba muy enfadado, y pensando qué hacer, tuvo la idea de invitar al pueblo para la mañana siguiente, para «despedir» la bula, avisando que ya nos íbamos a marchar de allí.

Y esa noche, después de cenar, él y el alguacil decidieron jugarse el dinero para ver quién pagaba la última bebida. Pronto empezaron a discutir por asuntos del juego con muy malas palabras. El buldero llamó ladrón al guardia y éste dijo que mi amo vendía bulas falsas. Mi amo cogió un cuchillo que sobre la mesa estaba y el alguacil puso la mano en su espada.

Cuando oyeron el ruido y los gritos, todos los que estaban en el mesón y algunas gentes del pueblo se acercaron y se metieron en medio de los dos. Aquéllos pelearon entonces también con la gente pues querían verse libres de todos, para poder matarse entre sí. Pero como no conseguían estar solos y no podían usar armas, seguían con las palabras: y el alguacil repetía una y otra vez que las bulas de mi amo eran falsas.

Finalmente, viendo que no podían hacer nada, los del pueblo decidieron llevarse al alguacil a otro sitio. Y así quedó

Y a todos os lo digo claramente: sabed que las bulas que vende ese hombre son falsas. ¡No le creáis ni las compréis!

mi amo muy enfadado. Después de marcharse todo el mundo, se dejó por fin convencer de ir a dormir; y nos fuimos todos a la cama.

A la mañana siguiente, mi amo se fue a la iglesia y mandó al clérigo llamar a la gente para la misa, pues durante ésta iban a «despedir» la bula. Poco a poco llegaban los hombres y las mujeres del pueblo; protestaban entre ellos, diciendo que las bulas eran falsas, que el alguacil lo había dicho. Y si antes tenían pocas ganas de comprarla, ahora no tenían ninguna.

Entonces mi amo empezó a hablar a todos, intentando convencerlos de que la bula era maravillosa y les podía traer muchísimas cosas buenas.

Y en el mejor momento de sus explicaciones, entró por la puerta de la iglesia el alguacil. Y éste, después de decir una callada oración, se levantó, y dijo en voz alta y lenta, tranquilamente:

—Buenos hombres, oídme unas palabras y después podréis oír a otro, si queréis. Yo vine aquí con este mentiroso que os está hablando y tengo que deciros una cosa. Este hombre a mí también me engañó y me quiso dar una parte del negocio, si le ayudaba a vender sus bulas. Y ahora que me doy cuenta del daño que iba a hacer, os pido perdón. Y a todos os lo digo claramente: sabed que las bulas que vende ese hombre son falsas. ¡No le creáis ni las compréis! Yo no quiero saber nada de ellas, y además, desde este mismo momento, sabed que ya no soy alguacil: dejo este oficio a otro mejor que yo. Y pues yo os he contado los engaños de ese hombre malo, sabéis que yo no soy su amigo ni le ayudo en sus mentiras. Y eso es lo que debéis decir si alguien os pregunta.

De esta manera terminó de hablar el alguacil. Algunos hombres que allí estaban se quisieron levantar y llevárselo fuera, para no tener otra pelea. Pero mi amo les dijo que no, que él prefería dejarle hablar. Y él también estuvo en silencio y el alguacil pudo decir todo lo que he dicho.

Cuando calló, mi amo le preguntó si había terminado.

El alguacil dijo:

—Tengo otras muchas cosas que decir de vos y de vuestras mentiras; pero por ahora, he dicho bastante.

El buldero, con las manos juntas y mirando al cielo, dijo entonces:

—Señor Dios, que ves todas las cosas, y para quien nada es imposible: tú sabes la verdad y cuánto miente este hombre. Pero yo le perdono, porque quiero tu perdón para mí también. No mires a aquél que no sabe lo que hace ni dice. Pero deja ver el daño que los que están aquí te han hecho a ti: más de uno, que pensó tomar esta bula, por creer las falsas palabras de este hombre, ya no lo va a hacer. Y por eso Señor, pido tu ayuda. Enséñanos dónde está la culpa, y dónde la verdad; y de la siguiente manera: si el alguacil dice la verdad, haz que yo me caiga ahora mismo del lugar desde el que te estoy hablando; y que no vuelva a aparecer nunca. Pero si yo digo la verdad, y él miente, haz que él pague su culpa.

Y en ese momento, en cuanto mi amo acabó su oración, el alguacil cayó al suelo, dándose un golpe tan fuerte que el ruido llenó toda la iglesia; y sin intentar levantarse, empezó a gritar y a hacer cosas rarísimas con la boca y los ojos, moviéndose por aquel suelo de un lugar a otro.

El ruido de las voces de la gente era tan grande que no se oían unos a otros. Algunos estaban muy asustados.

Unos decían: «Que Dios le ayude».

Otros: «Que no os dé pena lo que le pasa, pues ha dicho grandes mentiras».

Por último, algunos que allí estaban se acercaron al alguacil, con bastante miedo, y le cogieron por los brazos. Otros le cogieron por las piernas y así lo tuvieron un gran rato sin moverse del lugar. Porque más de quince hombres estaban sobre él, que a todos daba mil golpes.

Mientras, mi amo seguía en el mismo lugar que antes, las manos y los ojos puestos en el cielo, diciendo sus oraciones en voz baja, sin oír los ruidos de la iglesia.

Aquellos buenos hombres se acercaron a él, y le despertaron, pidiéndole ayuda para el pobre alguacil que se estaba muriendo: ya sabían ahora de quién era la culpa, y que el alguacil había hablado mal, pero ésa debía ser la hora del perdón, por amor de Dios.

Mi amo, muy tranquilo, como despertando de un dulce sueño, les miró a ellos y también al alguacil y dijo:

—Buenos hombres, no deberíais nunca rezar por un hombre así; pero Dios manda que no paguemos el mal con el mal, y perdonemos a los que nos han hecho daño. Por esto, ¡que Dios perdone a éste! Vamos todos a rezarle por ello. Vamos a pedir que el diablo salga de su cuerpo.

Y así, mi amo vino a rezar al lado de todos y empezó a decir una preciosa oración que hizo llorar a muchos: pidiendo vida y no muerte para aquel hombre, vida y salud para poder volver al camino de Dios.

Después, cogió la bula y la puso sobre la cabeza del alguacil. Y éste empezó, poco a poco, a encontrarse mejor y a abrir los ojos. Y en cuanto despertó por completo, se tiró a los pies de mi amo y empezó a pedirle perdón; y dijo que el diablo había hablado por su boca, que todas las mentiras habían sido por escucharle a él.

Mi amo le perdonó y los dos volvieron a hacerse amigos. Y hubo entonces tanta prisa para comprar la bula que no quedó nadie del lugar sin ella: marido y mujer, hijos e hijas, mozos y mozas.

La noticia de lo que había ocurrido corrió de boca en boca por todos los pueblos vecinos. Así que cuando llegábamos a alguno, no era necesario avisar a la gente, ni ir a la iglesia: la gente nos esperaba a la puerta del mesón para comprar la bula; parecía que la estábamos regalando. De esta manera, en diez o doce lugares donde fuimos, mi amo vendió otras mil bulas sin presentarlas ni rezar una sola oración.

El primer día del engaño yo también me asusté mucho, pues creí, como otros muchos, que todo era verdad. Pero viendo después cómo mi amo y el alguacil se reían y burlaban, encantados de su negocio, lo entendí todo. Y así supe cómo todo había sido una mentira de mi amo para sacar el dinero a la buena gente.

Yo era entonces sólo un muchacho, pero aquel asunto me pareció gracioso y me dije: «¡Cuántos hombres engañan a las pobres gentes con mentiras como éstas!»

Finalmente, estuve con este amo, el quinto, cerca de cuatro meses, en los que tampoco faltaron las penas.

Tratado Sexto

CÓMO LÁZARO SE PUSO A TRABAJAR CON OTRO CLÉRIGO Y LO QUE LE OCURRIÓ CON ÉL

Después de esto, serví algún tiempo a un pintor, ayudándole a preparar sus colores, y también pasé por mil penas.

Yo ya no era niño cuando, un día que entré en la iglesia mayor, un clérigo de allí me tomó para trabajar con él. Y me dio un asno[70] y cuatro jarros y empecé a pregonar[71] y vender agua por la ciudad. Éste fue el primer paso que yo di para alcanzar la buena vida. Daba cada día a mi amo una parte del dinero ganado, y los sábados ganaba para mí; además, de lunes a viernes, también era para mí el dinero que quedaba después de dar a mi amo lo suyo.

Tuve tanta suerte en este oficio que después de cuatro años me encontré con un buen dinero; y pude comprarme otras ropas, usadas pero bastante elegantes. Y tuve mi capa y mi espada, que era de las buenas.

Cuando me vi vestido como un hidalgo, le dije a mi amo que podía tomar su asno; porque yo no quería seguir con aquel oficio.

Tratado Séptimo

CÓMO LÁZARO SE HIZO PREGONERO[71] Y SE CASÓ

Después de despedirme del clérigo, me puse a trabajar con un alguacil. Pero viví muy poco con él, porque el oficio me parecía peligroso. Sobre todo desde que una noche unos ladrones nos siguieron y tiraron piedras a mí y a mi amo. Como él se quedó parado, esperando, le trataron mal; a mí no me alcanzaron, porque salí corriendo. Pero preferí dejar al alguacil.

Mientras yo me preguntaba qué manera de vivir podía darme por fin descanso y un poco de dinero para los últimos años de mi vida, Dios quiso darme luz y ponerme en el buen camino. Y con la ayuda de amigos y señores, todos mis trabajos y problemas pasados me fueron pagados: porque conseguí un oficio real[72], viendo que sólo las personas que tienen uno viven bien.

Y de este oficio vivo en el día de hoy, para servir a Dios y a Vuestra Merced. Y es que yo pregono los vinos que la gente vende en esta ciudad, y acompaño a los ladrones a la cárcel diciendo a todos en voz alta sus culpas y crímenes. En fin, que mi trabajo es el de pregonero, para llamar las cosas por su nombre.

Tan bien conozco mi oficio que en toda la ciudad no hay vino, u otra cosa para vender, que no pase antes por mi mano. Si Lázaro de Tormes no se ocupa del asunto, parece que el negocio no puede ir bien.

En este tiempo, el arcipreste de San Salvador, mi señor y amigo de Vuestra Merced, tuvo noticias de mi persona porque le pregonaba sus vinos. Y quiso casarme con una criada suya. Y como me pareció que de una persona como ésta sólo me podía venir algo bueno, decidí hacerlo. Y así me casé con ella y hasta ahora estoy contento por ello.

Porque, además de ser mujer buena y que sirve muy bien, recibo de mi señor arcipreste grandes ayudas. Nunca se olvida, en varias fechas del año, de hacernos buenos regalos: pan, carne, y ropa vieja que ya no usa. Y nos hizo alquilar una casita muy cerca de la suya. Los domingos y casi todos los días de fiesta comemos en su casa.

Pero hay gente mala, como siempre ha habido y siempre habrá, que no nos deja vivir tranquilos: dicen no sé qué y sí sé qué; que ven a mi mujer ir a hacerle la cama y prepararle la comida. Y pido a Dios que les ayude, ya que dicen la verdad.

Porque ella no es de esa clase de mujeres que engañan a sus maridos; y además mi señor me ha prometido algo y yo le creo. Él me habló un día delante de ella y me dijo:

—Lázaro de Tormes, el hombre que escucha a las malas gentes no conseguirá nunca ser persona importante. Digo esto porque, viendo a tu mujer entrar y salir de mi casa, la gente puede hablar. Pero ella entra sin poner en peligro tu honra ni perder la suya, y esto te lo prometo. Así que no escuches lo que la gente te puede decir y preocúpate sólo de lo que es bueno para ti.

—Señor —le dije—, hace tiempo que decidí estar al lado de los buenos. Es verdad que algunos de mis amigos me han contado algo de eso, diciéndome también que ella había tenido más de tres hijos antes de casarse conmigo. Y no digo más por no molestar a Vuestra Merced.

Entonces mi mujer gritó tanto que yo pensé que la casa se iba a caer sobre nosotros. Luego empezó a llorar y a mandar a todos los diablos a la persona que la había casado conmigo. Y yo pensaba que sería mejor para mí estar muerto que haber dicho aquellas palabras. Pero al final, yo por un lado y mi señor por otro, conseguimos hacerla callar. Le prometí no volver a hablar nunca de aquello; le repetí una y otra vez que ella podía entrar y salir, de día y de noche: que me parecía bien, porque yo estaba seguro de ella. Y así quedamos los tres contentos.

Hasta el día de hoy nadie nos ha oído volver a hablar del asunto; y cuando veo que alguien quiere decirme algo de mi mujer, le corto enseguida diciéndole:

—Si vais a contarme cosas que me pueden dar pena, callad; y no digáis que sois mi amigo. Porque el hombre que me hace daño no es mi amigo; sobre todo, si me queréis ver pelear con mi mujer, que es la cosa del mundo que yo más quiero. La quiero más que a mí mismo. Y todos los días doy gracias a Dios por tenerla, pues sé y siempre diré que es mujer buena. Y si alguien me dice otra cosa, le mataré.

De esta manera no me dicen nada, y yo vivo tranquilo en mi casa.

Todo esto ocurrió el año en que nuestro Emperador[73] entró en esta gran ciudad de Toledo y hubo en ella Cortes[74]; y también muchas fiestas, como Vuestra Merced seguramente sabe. En aquel tiempo yo vivía muy cómodamente y había alcanzado lo mejor de la buena suerte.

SOBRE LA LECTURA

Para comprobar la comprensión

PRÓLOGO

1. ¿Por qué ha escrito su libro el autor de Lazarillo de Tormes?

TRATADO PRIMERO

2. ¿Por qué da todo el mundo a Lázaro el apellido de «Tormes»?

3. ¿De qué clase social es?

4. ¿Quién fue Zaide? ¿Por qué no pudo seguir con la madre de Lázaro y el hermano de éste?

5. ¿Quién fue el primer amo de Lázaro? ¿En qué consistía el trabajo de éste?

6. ¿Cuándo se dio cuenta Lázaro por primera vez de que la vida iba a ser dura para él?

7. ¿Cómo era el ciego? ¿Qué pensaba de su criado?

8. ¿Cómo consiguió Lázaro beber vino durante algún tiempo? ¿Qué hizo el ciego cuando se dio cuenta de ello?

9. ¿Cómo consiguió Lázaro comerse una longaniza? ¿Cómo se dio cuenta de ello el ciego? ¿Qué pasó entonces?

10. ¿Qué opinión tiene Lázaro sobre su amo?

11. ¿Qué hizo Lázaro para despedirse del ciego?

TRATADO SEGUNDO

12. *¿Quién fue el segundo amo de Lázaro? ¿Cómo era?*

13. *¿Cómo vivió Lázaro con este nuevo amo? ¿Mejor o peor? ¿Por qué?*

14. *¿Por qué no se decidía Lázaro a dejar al clérigo y a buscar otro amo?*

15. *¿Cómo consiguió Lázaro una llave para abrir el arca donde el clérigo guardaba los panes?*

16. *Cuando el clérigo descubrió que faltaban panes y decidió contarlos mejor, ¿cómo consiguió Lázaro seguir robándole?*

17. *¿Cómo descubrió el clérigo que Lázaro le engañaba?*

18. *Lázaro se separó por fin de este segundo amo. ¿Quién lo decidió?*

TRATADO TERCERO

19. *¿A qué ciudad llegó Lázaro? Allí se encontró con su tercer amo. ¿Quién era éste?*

20. *Al principio, Lázaro pensó que había tenido mucha suerte con su nuevo amo. ¿Por qué?*

21. *¿Qué tenía que hacer Lázaro para poder comer? Y el escudero, ¿qué hacía cuando tenía hambre?*

22. *¿Quería Lázaro a su tercer amo? ¿Por qué?*

23. *¿Qué es lo que no le gustaba a Lázaro del escudero?*

24. *¿Por qué se asustó tanto Lázaro el día en que se encontró con un entierro en la calle?*

25. *¿Por qué había abandonado Castilla la Vieja el escude-
    ro? ¿Era allí muy rico? ¿Qué pensó Lázaro de todo lo
    que le contó su amo?*

26. *¿Por qué no trabajaba el escudero? ¿En qué consistía su
    oficio?*

27. *¿Por qué dejó el escudero a Lázaro?*

TRATADO CUARTO

28. *¿Quién fue el cuarto amo de Lázaro? ¿Cómo lo encon-
    tró?*

29. *¿Se quedó Lázaro mucho tiempo con él? ¿Por qué?*

TRATADO QUINTO

30. *¿Quién fue el quinto amo de Lázaro? ¿En qué consis-
    tía su trabajo? ¿Qué clase de métodos usaba general-
    mente?*

31. *¿Cuál fue el motivo de la pelea ocurrida en el mesón
    entre el buldero y el alguacil?*

32. *¿Estaban realmente enfadados entre sí el buldero y el
    alguacil? ¿Cuándo lo entendió Lázaro?*

33. *En la iglesia, ¿consiguió el buldero engañar a la gente?
    ¿Qué creyó la gente?*

34. *¿Tuvieron los pueblos vecinos noticia de lo que había ocu-
    rrido? ¿Supieron que había habido engaño?*

35. *¿Qué piensa Lázaro de las mentiras del buldero?*

TRATADO SEXTO

36. *¿En qué consistió el trabajo de Lázaro cuando estuvo con el segundo clérigo?*

37. *¿Guarda Lázaro buen recuerdo de los cuatro años pasados a su lado? ¿Por qué?*

TRATADO SÉPTIMO

38. *¿Trabajó mucho tiempo Lázaro con el alguacil? ¿Por qué?*

39. *¿Qué trabajo encontró después? ¿Sigue teniéndolo en el momento en que escribe? ¿Le gusta?*

40. *¿Con quién se casó Lázaro? ¿Es feliz con su mujer?*

41. *¿Qué dice la gente de la mujer de Lázaro? ¿Lo sabe él? ¿Le importa? ¿Por qué?*

Para hablar en clase

1. *En su opinión, de todos los amos de Lázaro ¿cuál le ha enseñado mejor a defenderse en la vida? ¿Cuál le ha parecido a usted más simpático? ¿Cuál menos? ¿Por qué?*

2. *Al final de su relato, Lázaro dice que ha conseguido el éxito en la vida. ¿Lo cree usted también? ¿Qué opina usted de su situación y de su manera de alcanzarla?*

3. *¿Cree usted que hoy en día hay pícaros? ¿Puede poner algún ejemplo de picaresca en la vida real?*

4. *El escudero es una persona que sólo piensa en la honra y a quien le gusta parecer lo que en realidad no es. ¿Cree que esto ocurre hoy también?*

5. *¿Qué rasgos de crítica social ha encontrado en* Lazarillo de Tormes? *¿Le parece que alguno podría ser válido en su país, ahora?*

6. *¿Qué le ha parecido más importante en esta obra, el aspecto cómico de las situaciones o la crítica social? ¿Le ha divertido o más bien interesado?*

NOTAS

Estas notas proponen equivalencias o explicaciones que no preten-
den agotar el significado de las palabras o expresiones siguientes
sino aclararlas en el contexto de *Lazarillo de Tormes.*

m.: masculino, *f.:* femenino, *inf.:* infinitivo.

Lazarillo de Tormes: Lazarillo es el dimi-
nutivo de Lázaro, nombre del protagonista.
Desde que se hizo famoso este personaje literario, se llama **lazarillo** *(m.)* a la persona o
animal que acompaña y ayuda a alguien que
no puede ver.

1 **pues:** porque, puesto que. **Pues** con este
valor de causa, era en el siglo XVI más usual
y coloquial que en el español de ahora.

2 **estilo** *m.:* manera de escribir.

3 **Pido a Vuestra Merced que reciba este
pequeño libro: Le pido a usted que reciba este pequeño libro** (recordar la nota
de la página 4, apartado 1).

4 **tratado** *m.:* escrito o discurso sobre una
materia determinada.

5 **nacimiento** *m.:* hecho de **nacer**, es decir,
de salir del cuerpo de la madre, de empezar a vivir.

6 **molino de agua** *m.:* edificio donde se encuentra una máquina o instalación en que
el motor es una rueda movida por el agua, y
que sirve para moler el grano de los cerea-
les (convertirlo en partículas muy peque-
ñas, aplastándolo entre dos piedras).

molino de agua

7 **moros** *m.:* pueblos del norte de África que ocuparon gran parte de España, desde el año 711 después de Cristo hasta 1492. El autor parece referirse aquí a la llamada «campaña de los Gelves», que tuvo lugar en 1510 en Túnez y que fue perdida por los españoles.

8 **criados** *m.:* hombres que trabajan para una persona o casa y reciben por ello dinero, comida y cama.

9 **Comendador de la Magdalena** *m.:* **caballero** (ver nota 60) de la Orden militar y religiosa de Alcántara que tenía una un derecho especial a recibir dinero de la iglesia de la Magdalena, en Salamanca.

10 **moreno:** de raza negra.

11 **clérigos** *m.:* curas, hombres que ejercen funciones religiosas en la religión cristiana.

12 **servir:** estar al servicio de una persona, es decir, trabajar para ella, ser su **criado** o **criada** *(f.)* (ver nota 8).

13 **mesón** *m.:* antiguamente, lugar donde se podía comer y dormir, pagando por ello. Ahora en los **mesones** no se puede dormir.

14 **mozo** *m.:* niño mayor, muchacho; también, hombre joven, especialmente si sigue soltero, sobre todo en los pueblos; además, empleado, **criado**.

15 **ciego** *m.:* persona que no puede ver.

16 **guiar:** acompañar a una persona enseñándole el camino.

17 **no olvidéis: no olvide** (recordar la nota de la página 4, apartado 2).

18 **amo** *m.:* persona a la que sirve un **criado** o una **criada.**

19 **diablo** *m.:* personaje que representa el mal en la religión cristiana.

20 **burla** *f.:* broma, palabras y hechos con los que una persona ridiculiza a otra o se ríe de ella, haciéndole creer algo que no es verdad, por ejemplo.

saco

21 **simpleza** *f.:* cualidad de la persona que no conoce el mal.

22 **defender:** proteger a alguien (o a uno mismo) de un daño o de algo que puede ser peligroso.

23 **oraciones** *f.:* palabras que dirigimos a Dios, a la Virgen o a los santos. Decirlas, oral o mentalmente, es **rezar.**

24 **mezquino:** que siente demasiado amor por el dinero y no quiere nunca dar o gastar nada.

migas de pan

25 **engañaba** (*inf.:* **engañar**): hacía creer como verdad algo que no lo era. La acción y el efecto de **engañar** es el **engaño** *(m.).*

26 **saco** *m.:* bolsa grande, que está abierta sólo por uno de sus extremos y sirve para meter cosas dentro.

27 **miga** *f.:* parte blanda del pan; aquí, pedazo muy pequeño.

jarrillo

28 **agujero** *m.:* abertura generalmente redonda en alguna cosa, resultado de la acción de romper una cosa.

29 **coser:** unir con hilo dos partes de una tela, cerrar así un agujero.

30 **longaniza** *f.:* chorizo largo y muy delgado.

31 **jarrillo** *m.:* **jarro** pequeño. Recipiente para contener vino u otros líquidos, con boca ancha y asa.

32 **paja** *f.:* tallo o conjunto de tallos de un cereal cuando está seco y separado del resto.

33 **cera** *f.:* sustancia blanda, de color amarillo, fabricada por ciertos insectos y que se hace líquida con el calor.

paja

34 **tío** *m.:* en algunos lugares del campo, manera de llamar a los hombres de cierta edad.

35 **No diréis, tío, que os lo bebo yo: No dirá, tío, que se lo bebo yo** (recordar la nota de la página 5, apartado 2).

36 **cura** (*inf.:* **curar**): vuelve a dar salud a un enfermo.

37 **uvas** *f.:* fruto del que se obtiene el vino. Las uvas crecen agrupadas en **racimos** (*m.*).

(racimo de) uvas

38 **nabo** *m.:* planta de hojas grandes y flores amarillas y raíz de esta planta; esta raíz (parte que se encuentra bajo tierra), de color blanco y generalmente gruesa, se puede comer.

soportales

39 **soportales** *m.:* espacio cubierto alrededor de algunas plazas, o delante de ciertos edificios, con **pilares** *(m.)* que generalmente sirven para soportar la parte de delante de estos edificios.

40 **salté** (*inf.:* **saltar**): di un **salto** *(m.)*, que es el movimiento por el cual alguien se eleva en el aire, para caer a cierta distancia de donde está o pasar por encima de algo.

41 **¡Dad vos un gran salto!: ¡Dé usted un gran salto!** (recordar la nota de la página 5, apartado 2).

42 **misa** *f.:* ceremonia principal de la religión católica. **Ayudar a misa** es ayudar al cura en la celebración de la ceremonia. **Decir misa** es celebrar la **misa**.

arca

43 **arca** *f.:* caja grande, generalmente de madera, que se puede cerrar con llave y sirve para guardar ropa u otros objetos.

44 **cebollas** *f.:* plantas de hojas largas y flores blancas, de la familia del ajo, y bulbos de estas plantas; estos bulbos (partes que están bajo tierra) se comen: se caracterizan por su fuerte olor y sabor y porque hacen llorar cuando se cortan.

45 **huesos** *m.:* partes duras que forman el esqueleto del hombre y de ciertos animales.

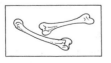

huesos

46 **entierros** *m.:* ceremonias en las que se pone bajo tierra el cuerpo de una persona muerta. También, grupos de personas que acompañan al muerto.

ratonera

47 **ratones** *m.:* animales de pequeño tamaño, de color marrón, gris o blanco, y de larga cola. Viven en campos, parques y ciudades; frecuentemente, se meten en las casas, donde comen lo que encuentran; les gustan especialmente el queso y el papel.

48 **ratoneras** *f.:* aparatos pequeños que sirven para coger ratones.

49 **culebra** *f.:* tipo de serpiente, que son animales de cuerpo estrecho y alargado, sin patas.

50 **palo** *m.:* trozo de madera alargado.

51 **escudero** *m.:* persona que acompañaba a un **caballero** (ver nota 60), le llevaba las armas y le **servía** (ver nota 12).

culebra

52 **capa** *f.:* prenda de abrigo larga y suelta, sin mangas y abierta por delante, que se lleva encima de la ropa.

53 **limpias:** el autor juega aquí con el doble significado de la palabra. **Limpio** es lo contrario de **sucio.** Pero antiguamente se decía de una persona que era **limpia de sangre** cuando sus padres, sus abuelos, etc., eran de una misma clase y condición social, generalmente noble, o de una misma raza.

capa

54 **colchón** *m.:* especie de **saco** (ver nota 26) cerrado por todos los lados y relleno de un material blando, que se pone encima de la cama.

55 **espada** *f.:* arma blanca, de hoja larga y recta que corta por los dos lados.

56 **honra** *f.:* honor, buena opinión que la gente tiene de una persona, o que esta persona tiene de sí misma, por actuar cómo se debe. En particular, sentimiento que tiene un noble de su importancia en la sociedad y deseo de que ésta sea reconocida.

57 **calofrío** *m.:* palabra inventada por el autor, para indicar de forma expresiva que el personaje tiene al mismo tiempo calor y frío.

58 **tripas cocidas** *f.:* plato de comida preparado con trozos de intestino de animal.

59 **vanidad** *f.:* sentimiento y actitud de la persona que cree tener una superioridad sobre el resto de la gente, deseo exagerado de ser reconocido como mejor o más importante que los demás.

60 **caballero** *m.:* hombre que pertenecía a la clase noble.

61 **vuestro vecino: su vecino** (recordar la nota de la página 5, apartado 2).

62 **conde** *m.:* hombre que pertenece a la clase noble, con un título superior al de **caballero** (ver nota 60). El **escudero** (ver nota 51) está situado socialmente más abajo que uno y otro, por ser sólo **hidalgo** (ver nota 63).

63 **hidalgo** *m.:* noble de la categoría más baja dentro de la antigua nobleza castellana.

64 **arcipreste** *m.:* cura o sacerdote de grado superior que ha recibido ciertos poderes sobre curas e iglesias de un territorio determinado.

65 **moneda** *f.:* pieza de metal, generalmente redonda, a la que se reconoce determinado valor y se utiliza como medio de pago (dinero).

66 **alguacil** *m.:* representante de la administración de justicia.

67 **fraile** *m.:* hombre que pertenece a alguna Orden religiosa católica.

fraile

68 **buldero** *m.:* hombre encargado de vender las **bulas** *(f.)* después de haberlas presentado, es decir, de haber explicado en la iglesia a la gente qué eran y para qué servían. La **bula** era un documento donde el Papa, autoridad máxima de la Iglesia católica, daba permiso para no respetar algunas de sus prohibiciones: comprando una bula (dando un dinero para la Iglesia), se podía comer carne los días en que la Iglesia lo prohibía, por ejemplo.

69 **latín** *m.:* lengua hablada en la antigua Roma, que fue tradicionalmente usada por la Iglesia cristiana de Occidente. El **latín** es la lengua de la que proviene el español.

asno

70 **asno** *m.:* animal parecido al caballo, pero más pequeño y de orejas muy largas. Se usa para transportar personas y cosas.

71 **pregonar**: anunciar en voz alta y en los sitios públicos el producto que se quiere vender. El **pregonero** *(m.)* es el oficial público (ver nota 72) que debe dar a conocer las noticias de interés general.

72 **oficio real** *m.:* oficio público, pagado por la administración real (del rey).

73 **Emperador** *m.:* se trata de Carlos I de España y V de Alemania (1500-1573).

74 **Cortes** *f.:* asamblea que formaban los representantes de las distintas clases sociales y de las ciudades, convocadas por el rey para intervenir en ciertos asuntos de gobierno. Podría tratarse aquí de las Cortes celebradas en el año 1525.